An evil princess bring her parents' home to ruin ☆ volume.2

엘프 마을에서 지내는
엘로즈 앞에 나타난 것은……

림과 마리우스,
그리고……?

# CONTENTS

# 악역 영애는
# 가문의 몰락을 꿈꾼다 2

사쿠라 사쿠라 사쿠라

L NOVEL

# 어느 소년의 독백

 첫 기억은 누군가의 등이었다.

 다음 기억은 타들어갈 것 같은 빨강.

 그리고 고통은 일상이었다. 폭언은 자장가였고 어른의 기분을 살 피면서 숨 쉬는 매일이었다.

 눈치가 없으면 살아남을 수 없다. 그러면 버려진다. 뒷골목에는 그런 아이가 넘쳐났다.

 그래도 누군가에게 필요한 존재가 되고 싶었다. 누군가에게 쓸모 있는 아이라고 인정받고 칭찬받고 싶었다.

 어머니라는 이름의 여자는 가장 가깝고도 먼 타인이었다.

 홧김에 행해진 폭력. 겨우 손에 넣은 음식도 돈도 가차 없이 빼 앗겼다. 그곳에서 살아가기 위해서는 고개를 숙이고 최대한 사람 과 시선을 마주치지 않고 눈에 띄지 않게 숨죽이는 수밖에 없었다.

 그러던 어느 날, 어머니가 드디어 데리러 왔다며 들떠 소리쳤다.

 공작님, 이라고 어머니가 남자를 불렀다. 남자가 있으면 방에는 들어갈 수 없으니 늘 그랬듯이 골목 구석에서 둥글게 몸을 웅크리 고 있었다.

 어머니는 이제 이 마을에 돌아오지 않겠지. 그렇게 생각해도 이 상하게도 슬프지 않았다.

내일 무엇으로 주린 배를 채울까. 생각한 것은 떠나는 어머니에 대한 슬픔이 아니라 내일의 일용할 양식이었다. 더 이상 어머니의 덕은 볼 수 없으니 스스로 먹을 것을 구해야 했다.

내일은 날이 밝자마자 교회에 나가서 배식 행렬에 줄을 서자. 그런 생각을 하고 있는데 내 앞에 잘 닦인 가죽 신발이 툭 놓였다. 이 주변에 사는 사람들은 신을 수 없는 구두였다. 쭈뼛쭈뼛 고개를 들자 고급 옷을 입은 풍선 같은 남자가 서 있었다. 귀족이다.

황급히 시선을 내리깔고 숨을 삼켰다. 귀족만큼 무서운 존재는 없었다. 실수했다가는 얻어맞는 것만으로는 끝나지 않기 때문이다. 숨을 멈추고 머리를 조아린 채 귀족이 지나가기만을 기다리는데 덕지덕지 보석으로 휘감긴 퉁퉁한 손가락이 턱을 붙잡았다. 거칠게 얼굴을 들어 올려져 머리카락에 감춰진 눈이 드러났다.

도무지 사람이라고 생각할 수 없는 살찐 두꺼비 같은 모습의 남자였다. 아니, 두꺼비가 훨씬 매력적으로 보였다. 그는 나를 보고 눈을 크게 떴다.

"……푸르군."

두꺼비가 꿀꺽, 침을 삼키는 소리가 들렸다.

그 후 곧바로 귀족들만 드나들 수 있는 고급 유곽으로 끌려갔다.

"볼 수 있게 만들어."라는 지시로 몇 명이 달라붙어 피부가 벗겨지는 게 아닌가 싶을 만큼 난폭하게 씻겨줬다.

두꺼비는 욕탕에서 나온 나를 보더니 더욱 싱글벙글 웃었다. 꿈에 나올 만큼 섬뜩하고 소름 끼치는 미소였다.

"금! 금색이다! 그것보다 진하다고! 굉장해!"

두꺼비 눈에는 내가 금화로 보이는 모양이었다. 두꺼비 옆에 있는 시녀들도 누구 하나 신경 쓰지 않았다. 귀족의 말에 거역해선 안 된다는 것을 잘 알기 때문이다.

이 마을에서는 창녀가 길 위에 죽어 있어도 누구 하나 거들떠보지 않고 아이 하나가 사라진다고 해도 누구도 신경 쓰지 않는다.

두꺼비에게 끌려간 아이가 인생에서 살아남는 법은 말없이 상대가 원하는 대로 움직이는 거였다.

큰 남자는 무도했지만 여자는 부조리했다.

말대꾸를 하면 얻어맞았다. 일이 굼뜨면 음식을 빼앗겼다. 나쁜 일이 생기면 전부 내 탓이고 새된 목소리로 욕을 퍼붓고 길고 날카로운 손톱으로 살갗을 세게 할퀴었다. 남자보다 훨씬 이질적이고 무자비한 생물. 그게 여자였다.

억지로 끌려간 두꺼비의 집은 주눅이 들 만큼 화려한 저택이었다. 그곳에 사는 두꺼비의 가족과 처음으로 얼굴을 마주했다.

두꺼비와 동년배로 보이는 두꺼비처럼 살찐 여자는 부릅뜬 눈으로 나를 노려보더니 두꺼비에게 사납게 대들었다.

"당신! 이게 뭐하는 거죠?"

"그게, 옛날에 신세를 진 여자가 낳은 아이야. 어, 어때. 훌륭한 색이지? 왕족 특징이 나타난 색이라고. 잘 이용하면 중앙으로 가는 발판이 될 수 있어. 엘로즈는 마법 소양이 밑바닥 수준이야. 나는 아클라우스가의 앞날을 걱정해서 그런 거야."

"왕의 여동생인 나를 제쳐두고 근본도 모르는 천한 여자가 낳은 아이를 후작가로 들일 생각인가요! 정당한 혈통의 엘로즈가 있잖아요! 엘로즈를 유력 귀족과의 다리로 이용하면 되잖아요! 이런 애는 필요 없어!"

두꺼비는 소리치는 여자와 눈을 마주치려 하지 않고 이리저리 말을 둘러댔다. 그래도 역시 뒤가 켕겼는지 옆에 서 있던 소녀에게 말을 걸었다.

"에, 엘로즈. 아란이다. 네…… 남동생이다."

엘로즈라고 불린, 잘 만들어진 인형처럼 생긴 눈앞의 이 소녀는 어떻게 나올까.

불합리하고 변덕스럽고 심술궂은 여자들처럼 지독하게 나올까. 아니면 친절한 얼굴로 모든 것을 빼앗아갈까.

어떻게 처신하면 이 여자가 나를 괴롭히지 않을까?

말을 하면 눈썹을 찌푸릴까. 눈을 마주치면 불호령이 떨어질까.

머리카락 사이로 쭈뼛쭈뼛 소녀의 안색을 살폈다.

소녀의 곧게 뻗은 옅은 금빛 머리카락이 매끈하고 둥근 뺨을 감싸며 가슴까지 늘어뜨려져 있었다. 곱게 빗어진 머리카락은 한올 한올이 빛이 나서 백금처럼 보였다.

어머니도 머리 손질을 열심히 했지만 이 정도로 윤기가 돌지는 않았다.

화장을 한 것처럼은 보이지 않는데 어렴풋이 불그스름한 입술과 곧게 뻗은 콧대. 한없이 투명한, 어렴풋이 푸른 눈동자의 집요한 시선은 나를 당황하게 만들었다.

둥근 어깨부터 뻗은 소녀다운 가녀린 팔, 섬세한 손가락 끝, 손톱 끝까지 옅은 색채로 장식되어 있었다.

가녀린 허리는 꽉 조여지고, 꽃잎이 발아래를 장식하듯 층층이 겹쳐진 천이 소녀의 발끝을 감추고 있었다.

어린데도 향기가 날 것 같은 미소녀였다.

고급 창부가 된 옆집 소녀도 아름답다고 생각했지만 이 소녀에게는 상대가 되지 않았다.

……정말로 이 두꺼비의 딸일까.

거짓말이겠지. 그렇게 생각하면서 올려다보고 있자 소녀의 옆에서 아우성치던 돼지 2호가 이내 눈을 까뒤집고 푹 쓰러졌다. 고깃덩어리에 프릴과 레이스와 보석을 장식하면 이렇게 될까. 게다가 쓰러진 돼지 2호는 자신의 무게 때문에 움직이지 못하고 팔다리만 버둥거렸다. 마치 뒤집어진 개구리처럼.

……정말로 이 두꺼비가 이 소녀의 부모일까.

소설처럼 두꺼비에게 납치된 공주님이 아닐까? 도저히 닮은 구석이라고는 찾아볼 수 없는 부모 자식 사이에 의문을 품은 순간, 뒤집혀 있던 돼지 2호가 부활했다.

소리치는 두꺼비 2호 앞에서 소녀가 의연한 태도로 말했다.

도망칠 구석을 차단하듯 논리적으로 말하는 소녀와 감정대로 소리치는 두꺼비 2호.

부모의 권위만을 내세운 주장을 단박에 잘라낸 소녀가 나를 봤다.

"어머니는 필요 없다고 하시고, 아버지께 맡겨뒀다간 이 집에서 쫓겨나겠지. ……아란? 이리 오렴."

이리 오렴, 이라며 내밀어진 손.

틀림없이 자신에게 내밀어진 손을 뚫어져라 응시했다. 갑자기 손을 잡으면 무례하다고 욕을 먹을까봐 슬쩍 눈치를 살폈다. 그러나 흰 손은 내밀어진 채 움직이지 않았다. 희미하게 푸른 눈동자가 고요히 나를 응시했다.

"……에, 엘로즈 님. 저는."

"아란, 이제부터 나를 누님이라고 부르렴. 어머니가 달라도 우리는 남매니까."

"하, 하지만."

정말 그렇게 불러도 괜찮을까. 두꺼비 1호도 두꺼비 2호도 못마땅해하지 않는가. 어른들 말대로 「창고 방」에 가는 게 좋지 않을까? 눈을 치뜨고 올려다본 소녀는 정면으로 나를 바라보고 있었다.

"자, 가자. 아란."

다시 가녀린 팔을 뻗어왔다.

쭈뼛쭈뼛 얹은 손을 꽉 붙잡혀 가슴속까지 붙잡힌 것같은 기분이 들었다.

―금발의 아가씨는 다음 날부터 터무니없는 말을 했다.

"아란, 현명해지렴. 그러면 지킬 수 있는 게 많아져. 강한 것뿐만 아니라 현명한 사람이 돼야 해."

그렇게 말하며 다섯 살인 내 눈앞에 탁, 과제를 쌓았다.

뒷골목에서 하루살이 생활을 하던 배움이 없는 아이에게 도대체 무슨 말을 하는 건가 하고 눈을 크게 떴다.

하지만 밥을 먹기 위해서는 어쩔 수 없었다.

읽기, 쓰기, 산수는 물론이고 정치 경제, 상공업, 경영술에 부기 회계, 음악, 회화, 측량술, 요리, 세탁, 청소, 마지막으로 체술까지.

어쩐지 여러 계통으로 나누어져 있지만 아가씨가 말하기를 필수라고 한다.

요리, 세탁, 청소가 정말로 필요할까? 은근슬쩍 피하려고 하자 아가씨가 조용히 열정적으로 말하기 시작했다.

"아란, 잘 들으렴. 너는 강해져야만 해. 현명해져야만 해. 그리고 가장 중요한 건 적의 위장을 사로잡는 거야! 지금부터 노력하면 못할 게 없어. 나도 같이 노력할게. 공부도 기술도 최고로 뛰어난 『네』가 슬쩍 엿보이는 세심한 배려야말로 네가 가진 최고의 무기야!"

……적의 위장을 사로잡는 싸움은 어떤 싸움인 거야. 역시 어려도 여자는 여자. 이해 불능에 부조리한 건 어쩔 수 없다며 얌전히 따르기로 했다.

뒷골목에서 늘 전투태세로 살았던 날들이 끝나고 스릴 넘치고 보람찬 생활이 시작됐다.

아가씨는 못 하는 게 없었다. 자기 과제를 끝마친 뒤에는 내 공부를 도와줬다.

그런 그녀를 가르치는 두 가정교사도 만능이었다.

친절히 가르쳐주고 이해할 때까지 끈기 있게 기다려준다.

할 수 있을 때까지 몇 번이고 같은 과제를 반복했다. 그래도 즐거웠다.

늘 아가씨…… 엘로즈 누님이 함께였기 때문이다. 인형 같은 외모인데도 무척 학구파에 친근하게 대해준다. 나를 이런 식으로 대해준 사람은 없었다.

공부도 수련도 어려운 문제도 함께했다.

신체를 단련하는 것도 검을 휘두르는 것도 — 역시 아가씨는 가볍고 가는 검을 썼다 — 예의범절도 대강 익혔고 춤도 함께 연습했다.

"미래를 위해서."라는 말에 마지못해 따랐지만 어째서 여자 파트만 배우는지 알 수 없었다. 내가 작아서? 누님을 처음 만났던 다섯 살 때와 비교하면 조금 컸을 텐데 말이다.

이제 누님을 리드할 수도 있어요. 그러니 이제 여자 파트를 배우지 않아도 되잖아요? 라고 말했지만 소용없었다. 하지만 이걸 어디서 보여주냐고. 보여줄 곳이 없잖아?

매번 누님의 상대역을 하는 걸로 가정교사 선생님들이 싸웠다. 한 명이 남아서 할 수 없이 내가 여자 역할을 해야 했다. 우리 둘이 연습할 테니 그냥 내버려뒀으면 좋겠는데 말이다.

공부도 수련도 실습도 가정교사 선생님을 끼고 누님과 하다 보니 어느새 여섯 살이 되었다.

있잖아요, 누님. 덕분에 많은 걸 배웠어.

후작가의 영애이면서 아무렇지 않게 평민이 하는 일까지 해내는 누님. 보통 후작 영애는 화장실 청소 같은 건 하지 않아!

이것도 묘한 가정교사의 가르침의 산물일까.

그 가정교사 중 한 명인 기림 선생님은 공부 전반을 만능으로 가르쳐준다. 학술 이론에 대한 이해도 깊고 모르는 부분도 정확하게 가르쳐준다. 누님이 노골적으로 칭찬할 만큼 굉장한 선생님이다.

하지만 옆에서 보고 있노라면 누님을 향한 눈빛이나 목소리가 어쩐지 뜨겁다.

본인은 아이를 보호하고 사랑으로 기를 작정인 모양이지만 그건 이미 사랑에 빠진 남자의 눈이다. 독점욕을 깨닫지 못한 게 웃기다.

다른 한 명인 마리아 선생님은 대단한 깔끔쟁이에 섬세하며 가르칠 때는 친절한 말투로 가르쳐준다. 최상급 부류의 여자도 당해낼 수 없는 미모의 소유자지만 남자다. 누님이 마리아 선생님처럼 되고 싶다고 칭찬하는 미녀지만 그 녀석은 남자다. 확실히 기림 선생님과 비교하면 가녀려 보이지만 어깨 폭이나 울퉁불퉁한 손가락이나 특히 눈이……. 그건 좋아하는 여자를 노리는 위험한 남자의 눈이다.

어떻게든 엘로즈 누님을 나에게서 떼어내 독점하려고 싸우는 두 가정교사를 보고 있으면 어째서 누님은 이래도 눈치채지 못하는 걸까, 하고 머리가 아파왔다.

눈치채지 못하는데도 자신의 성을 인정하고 있는 기림 선생님은 그렇다 쳐도 은근슬쩍 남자임을 어필해서 여장을 그만하고 싶어 하는 마리아 선생님의 모습이 재미있다.

아름답고 유능하고 강하고 멋진 누님은 사실 연애에는 어두운 모양이다.

나도 연애의 밀고 당기기 정도는 알았다. 나 같은 유곽 출신과 달리 분명 누님은 순수하게 자라서 정서면이 성장하지 않은 거겠지.

공부하고 단련하고 실습하고 때때로 위해를 가해오는 두꺼비들을 피하면서 실력을 쌓았다.

누님을 지킬 수 있도록.

누님이 나를 자랑스러워 할 수 있도록.

……나는 필사적이었다.

누님이 시범을 보이는 대로 지식을 습득하는 데 필사적이었다.

여자의 집념이라는 업의 깊이를 잊어버릴 정도로.

여자라는 생물이 얼마나 교활하고 잔인하고 제멋대로인지를 알면서도 누님과 있는 행복에 취했다.

조금씩 확실하게 성장하는 나를, 두꺼비 2호가 못마땅하게 보고 있었다는 것을 깨닫지 못했다.

그 날, 두 가정교사는 별건으로, 집사장인 마르크도 저택에 없었다.

며칠 전 누님은 어떤 일로 마리아 선생님에게 울며 매달렸고, 마리아 선생님은 우는 누님 때문에 쩔쩔맸다. 밤늦도록 둘이서 우당탕거렸지만 절대로 방에 들여보내주지 않았다.

누님이 방에 틀어박힌 지 사흘째 되던 날. 하릴없이 복도를 어슬렁대고 있는데 머리부터 큰 자루를 뒤집어씌워져서 밧줄로 꽁꽁 묶였다.

"어디가 됐든 버려버리면 그만이야! 두 번 다시 돌아오지 못하게

다리를 부러뜨리고 눈을 으깨버리고 그 머리카락도 태워버려! 나는 절대로 인정 못 해. 너 같이 천한 녀석에게 고귀한 피가 한 방울이라도 흐르고 있다고 인정할까봐?!"

두꺼비 2호의 귀에 거슬리는 새된 목소리가 천을 뒤집어썼는데도 들려왔다.

아아, 오늘 죽는 건가. 그렇게 생각했다.

이런 나에게 감당 못할 만큼의 행복이 찾아왔으니 언젠가 끝이 올 거라고는 생각했었다.

처음으로 누님과 만났던 그날, 눈을 맞춰주고 이름을 불러주고 흰 손을 내밀어줬다. 망설이면서 뻗은 손을 당연한 듯 꼭 잡아줬다. 가자, 아란, 하고 말해줬다. 손을 당겨져서 걷는다는 것을 알았다.

당당히 걸어가는 누님의 손에 이끌려 걷는 것은 무척 자랑스럽고 부끄러웠다.

"아란, 밥은 먹었니? 나와 함께 먹어줄래?"

그렇게 말하는 대로 식당으로 따라가 누님의 맞은편에 앉았다.

보기 좋게 담긴 요리 앞에서 나는 굳어버렸다. 먹는 방법을 몰랐다. 할 수 없이 빵을 집었다. 빵이라면 손으로 잡고 먹어도 괜찮을 거라고 생각해서였다.

지저분하게 먹어서 환멸을 느끼게 하고 싶지 않았다. 맞은편에 앉은 누님의 행동을 흉내 내자고 생각했다. 하지만 한 입 먹을 생각으로 베어 먹었더니 배가 고팠었다는 사실을 깨달았다. 정신을 차려보니 무아지경으로 입 안에 빵을 구겨 넣고 있었다. 깨달았을 때는 이미 늦은 뒤였다.

　게걸스러운 아이라며 눈살을 찌푸리겠지.

　천하다고 멸시당하고 역시 이런 애는 필요 없다고 말할 게 틀림없다며 떨고 있는데 누님이 눈을 맞추면서 웃어줬다. 눈을 치뜨고 누님을 보자 누님이 자기 그릇에 담긴 빵을 덥석 집었다. 그러고는 내가 보는 앞에서 손에 든 빵을 덥석 물었다.

　어안이 벙벙해져 있는데 입을 우물우물 움직여 빵을 삼킨 누님이 나를 보며 "이렇게 먹는 것도 무척 맛있구나. 하지만 제대로 매너를 익혀두면 어떤 상황에서도 당황할 필요 없단다. 아란." 하고 웃은 뒤 빵을 다 먹은 후에 식사 예절을 가르쳐줬다.

　빵은 한 입 크기로 뜯어서 먹는 것. 포크와 나이프를 능숙하게 다루는 법.

　고기가 잘 썰리지 않아서 허둥댈 때는 나이프를 잡아주면서 잘 썰리는 각도를 알려줬다. 두둥실 꽃향기가 전해져왔다. 음식 냄새 말고도 두근거리는 냄새가 있다는 것을 처음으로 알았다.

　쉰내도 없고 추위로 떨 일도 없는 깨끗한 방으로 데려가 여기가 네 방이야, 라고 말해줬다. 첫날은 잠들 때까지 책을 읽어줬다. 어머니도 그렇게 해준 기억이 없었다.

　기쁘고 부끄러워서 잠드는 게 아까웠다. 실눈을 뜨고서 침대 옆에서 책을 읽어주는 누님을 바라봤다. 내가 잠든 줄 알았는지 엘로즈 누님은 책을 덮고 마지막으로 "이 귀요미."라고 중얼거렸다. 단어의 뜻을 알려달라고 하고 싶었지만 말을 하면 자는 척한 게 들통 날까봐 묻지 못했다.

꿈속 같은 매일이, 거짓말 같은 시간이 흘러갔다.

처음으로 혼자서 책을 완독했을 때는 누님이 웃으면서 칭찬해줬다.

산수 문제를 혼자서 다 풀자 상이라며 누님 몫의 케이크를 내 접시 위에 올려줬다.

차를 끓이는 법, 교양 있는 몸동작, 정중한 말씨. 모두 누님이 가르쳐줬다.

……누님. 미안해. 곁에 있어주지 못해서 미안.

나를 안고 달리던 남자가 갑자기 속도를 떨어뜨리고 멈춰 선 것을 깨달았다. 자루 안에서 이제 죽는구나, 생각했더니 가슴속에서 무언가가 솟아올랐다.

아직 누님에게 고맙다는 말을 하지 못했다.

누님에게 무엇 하나 보답하지 못했다. 이대로 이 남자에게 살해당해 누님과 두 번 다시 만나지 못하는 건 견딜 수 없었다.

어떻게든 누님의 곁으로 돌아가야만 해.

……그렇게 생각한 순간, 낯익은 목소리가 들려왔다.

"……거기, 누구 없어요? 부탁드려요. **지병인 복통**으로 괴로워하고 있어요. 누가 좀……."

"오, 오오, 아가씨. 무슨 일이야?"

납치 중인데도 불구하고 남자는 알랑거리는 목소리로 말하며 그 목소리의 주인에게로 다가갔다.

설마라고 생각하면서도 날뛰어서 어떻게든 그 목소리의 주인에게 이 녀석이 납치범이라고 알려주려 했지만, 남자는 날뛰는 나를 자루째 바닥에 집어던졌다.

고통에 신음하는 나를 내버려두고 그대로 친절을 가장하며 소녀의 곁으로 향한 모양이었다.

소녀는 남자를 의심조차 하지 않는 듯했다. 자루는 농사일에도 쓰이는 일반적인 자루라서 납치범인 것을 눈치채지 못했을지도 몰랐다.

하지만 내 초조감은 점점 심해졌다. 안 돼, 도망쳐! 그렇게 생각했지만 밧줄에서 빠져나올 수가 없었다. 초조한 마음에 간신히 자루에서 얼굴을 내밀었다.

나는 눈앞에 펼쳐진 광경에 할 말을 잃었다.

"괴로워. 서. 숨. 이."

"그, 그거 큰일이군. 아저씨 집이 바로 저기다. 의사를 불러줄 테니 들어가렴."

친절한 얼굴을 한 남자의 마음속에 어떤 계산이 숨어 있는지, 그 마을에서 여자가 어떤 식으로 취급당하는지 알고 있는 나에게 이 광경은 절망일 뿐이었다.

납치범 앞에 웅크리고 있던 것은 틀림없이 엘로즈 누님이었다.

살포시 몸을 감싼 흰색 시폰 드레스 자락이 휙 말려 올라가 새하얀 다리가 그대로 드러나 있었다. 남자가 역겨운 눈빛으로 누님의 다리를 쳐다봤다. 가슴 깊은 곳에서 분노가 솟구쳤다.

나의 누님을 역겨운 눈빛으로 핥듯이 쳐다보다니 용납할 수 없었다.

그런데 누님은 납치범을 향해 빙그레 미소 지어 보였다.

"어머, 친절을 베풀어주셔서 감사해요. ……납치범 씨?"

"아."

"꺄아아아, 불이야!"

남자가 어안이 벙벙해진 순간, 누님이 외쳤다. 불과 두 호흡 만에 누군가가 달려왔다.

"어디야! 불이 난 곳이!"

달려온 남자는 헌병인 모양이었다. 달려온 기세 그대로 주위를 두리번거렸다. 납치범은 상황 파악을 하지 못한 채 우뚝 서 있었다.

그리고, 누님이 다그치듯 외쳤다.

"기사님, 도와주세요!"

울면서 손을 뻗는 미소녀와 그 미소녀 앞을 가로막아 선 남자.

누가 어떻게 봐도 귀여운 소녀를 으슥한 곳으로 끌고 가려는 악당의 그림이었다.

누구도 소녀 쪽에서 몸을 던졌다고는 생각할 수 없었다.

"이……이 자식! 백주대낮에 이런 짓을!"

"어, 어?"

혼자 상황 파악이 안 된 납치범은 멍청한 표정으로 헌병과 누님을 계속 번갈아봤다.

"도와주세요, 기사님! 이 사람이 남동생을 납치했어요!"

"남동생? 그 자루…… 유괴한 거냐!"

눈을 깜빡이는 순간 헌병과 눈이 마주쳤다. 놀라서 부릅뜬 눈동자가 분노로 물드는 순간을 봤다. 뒷골목 한 모퉁이에서 공기가 변하는 것을 피부로 느꼈다.

"아, 나, 난 모르는 일이야!"

휙 뒤돌아선 남자가 내 옆을 스쳐 달아났다. 그 뒤를 헌병이 쫓았다. 호각 소리가 울렸다. 여기저기서 응답하듯 피리 소리가 났다.

"쫓아라! 납치 현행범이다!"

"저기로 도망쳤다! 잡아라!"

"놓치지 마! 에워싸라!"

"오옷!"

헌병들이 남자를 추격해 궁지에 몰아넣었다.

뒤쫓는 발소리가 늘어났다. 납치범이 붙잡히는 것도 시간문제겠지.

어쨌든 이로써 누님이 납치될 걱정이 사라져서 안심했더니 힘이 빠졌다.

가까스로 자루 안에서 기어 나와 누님과 얼굴을 마주했다.

엘로즈 누님은 기본적으로 표정을 겉으로 드러내지 않게끔 노력했다. 하지만 가끔씩 보여주는 표정은 무척 풍부했다. 즉, 엘로즈 누님은 울어도 아름다웠다.

"아란, 다행이야! 다친 데는 없니?"

꽉 안겨서 숨이 막혔다.

"……누님, 어떻게 여기에 있어요?"

"나는 아란의 누니니까. 아란의 위험을 알 수 있어."

누님, 엘로즈 누님. 잘난 듯이 말했지만 떨고 있는 게 다 보여.

나도 무릎이 떨리니까 서로 비긴 거지만.

나는 누님이 말한 대로 더 강하고 더 현명해져야 할 것 같다.

그렇지 않으면 이번처럼 누님은 터무니없는 짓을 할 거다.

그런 짐승만도 못한 놈 앞에 뛰어들어 나 같은 녀석을 지키려고 하니까.

어떤 값진 인형보다 아름답고 아름다운 누나는 자기 몸을 내던 져서 「나」를 구하려고 한다. 그렇다면 조금 영리한 남동생만으로는 안 된다.

고분고분하고 꿋꿋하게. 보호받는 것 같지만 보호해줘야 한다.

현명해지자. 당신을 지킬 수 있게. 강해지자. 네가 웃을 수 있도록.

"자, 돌아가자. 할아범이 기다리고 있어."

"네, 누님."

"오늘 저녁은 채소가 듬뿍 들어간 수프야. 참, 희귀한 이라라는 곡물을 발견했어. 아란, 내 실험을 도와줄래?"

"누님이 만드는 건 다 맛있어서 기대돼요. 아, 그런데 **지병인 복통**이 뭐예요? 처음 듣는 말인데."

"……그래. 그건 무척 깊은 뜻이 있단다. 아란."

누님은 이날부터 영지 구석구석까지 순찰에 나섰다.

동쪽에서 여자를 구하고 서쪽에서 악당을 잡아냈다.

할아범이라고 불리는 과묵한 집사장을 동료로 삼고 문지기를 하고 있던 붉은 머리카락의 헌병을 북으로 동으로 휘둘렀다.

나도 누님의 지시대로 움직이는 일이 많아졌다.

"오늘은 이 서쪽 지구의 상인이 개입되어 있을 거야."

"여기서 대규모 판매가 이루어질 모양이야."

"여기를 순찰하는 시간대를 잘 앞당기면 부딪치게 할 수 있겠어."

낮은 목소리로 중얼거리는 누님은 눈 밑의 다크서클까지 더해져서 지쳐 있다는 것을 잘 알 수 있었다.

"자. 오늘은 기필코 꼬리를 잡게 해야 해. 복숭앗빛 대원에게는 힘써달라고 하자."

……꽤 속속들이 아는 사이 같은데 복숭앗빛 대원<sup>비알 씨</sup>과는 언제 그렇게 친해진 거야.

"으음. 이 정도 증거로는 약할까……. 결정적인 뭔가를 두고 와야 해……."

누님은 계획의 성공률을 높이기 위해서 끊임없이 고민했다.

여느 때처럼 누님과 둘이서 두꺼비의 아지트를 폭로했다. 붙잡혀 있는 여자는 모두 누님처럼 생각하고 만다. 한시라도 빨리 적을 때려눕히고 구출해주고 싶었다.

여느 때처럼 헌병대를 계획대로 유도해 인신매매 현장을 급습했다.

한 손에 검을 들고 비알 씨와 함께 있는 힘을 다해 싸웠다. 거의 다 때려눕히고 숨을 돌린 뒤 비알 씨와 주먹을 맞부딪치며 건투를 축하했다.

"어이, 아란. 아가씨는 어디 있어?"

"아, 저쪽 모퉁이, 아……."

누님이 없었다.

온몸에서 핏기가 빠져나갔다. 주위의 소음이 멀어졌다.

그날의 맹세는 지금도 퇴색하지 않고 이 가슴속에 새겨져 있었다. 그런데 어째서 누님에게서 눈을 떼고 말았을까. 모든 것들로부터 누님을 지키겠다고 결심했으면서.

냉정해지라고 속삭이는 자신과 누님에게 무슨 일이 생기면 자신도 어떻게 될지 알 수 없다고 신음하는 자신이 있었다. 몸이 타들어갈 것 같은 격정에 휩싸인 채 수상한 기운이 감도는 곳을 찾아 헤맸다.

초연했던 비알 씨도 험악한 얼굴을 숨기지도 않고 체포한 인신매매 조직 남자의 목을 졸랐다. 뜨거워, 뜨거워, 라고 남자가 외쳐서 비알 씨의 마법 특성이 격렬히 새어나오는 것을 알았다.

하지만 말릴 마음은 들지 않았다.

한 시간, 두 시간, 세 시간. 절망만이 쌓여갔다.

가까스로 찾아낸 누님은 금색 우리 안에 갇혀 있었다.

호색한으로 보이는 남자가 싱글벙글 웃으며 누님을 쳐다봤다.

누님의 등 뒤에는 쇠사슬에 묶인 소녀들이 있었다. 누님이 그녀들을 지키듯 서 있었다.

누님은 날개옷처럼 얇디얇은 옷 한 장을 걸치고 있을 뿐이었다.

나의 소중한 누님이 저런 남자 눈앞에서 알몸이나 다름없는 차림을 강요받고 있었다.

울컥, 분노가 치밀었다. 바람이 주위를 꿰뚫었다.

남자를 지키던 용병들의 강철로 된 무기가 일제히 잘게 썰려나갔다. 남자가 입고 있던 옷도, 앉아 있던 의자도 원형을 알아볼 수 없을 만큼 가루로 변했다.

―나의 마법 특성이 꽃핀 순간이었다.

하지만 그것이 나와 누님을 갈라놓는 벽이 된다는 것을 그때의 나는 알지 못했다.


후작가는 급속도로 기울어갔다.

죄상은 일일이 꼽지 못할 만큼 많았다.

누님이 할아범과 함께 상세히 기록해두었기에 변명이 통할 리 없었다.

죄를 추궁당한 두꺼비 1, 2호가 도망치려 날뛰었지만 헌병대가 붙잡아 갔다.

누님은 의연히 앞을 응시한 채 두꺼비들이 퍼붓는 욕설을 가만히 듣고 있었다.

그 투명한 물빛 눈동자는 단 한 번도 흔들리지 않았다.

저택에서 두꺼비의 모습이 사라지고, 살림살이가 일제히 매각됐다.

누님이 좋아했던 경대가 사라지고 마지막까지 걸려 있던 추억의 그림까지 팔렸다.

밤낮을 가리지 않고 저택에 들이닥치는 친족을 쫓아내고 밤중에 불법으로 침입하는 자들을 흠씬 두들겨 패고 이것저것 누님을 귀찮게 하는 가정교사 둘을 견제하면서 텅 빈 저택 안에서 누님과 지냈다.

행복했다.

누님을 누님이라고 부를 수 있고 마치 보석처럼 아란, 하고 이름을 불렀다. 나의 행복은 틀림없이 누님이 가져다주었다. 넘치는 애정을 아낌없이 받았다.

나는 행복해졌으니 이제는 누님의 차례였다.

누구에게도 지지 않을 만큼 힘을 길러서 누님을 끝까지 지켜낼 거다. 그래, 언젠가는 두 가정교사도 이길 것이다.

나는 누님의 검이 되고 누님의 방패가 되겠다. 앞으로도 이렇게 둘이서 함께 살아갈 수 있다면 다른 건 아무것도 필요 없었다.

—누님의 각오도 모른 채 누님의 심중을 알려고도 하지 않은 채 아무런 근거도 없이 그저 앞으로도 누님과 둘이서 살아갈 수 있다고 생각했었다.

마지막은 누님이 전하라고 부르는, 나와는 피가 섞이지 않은 사촌형과 함께 찾아왔다.

전하는 나를 맡겠다고 했다. 누님은 밝게 웃으며 나와의 절연을 선언했다.

귀를 의심했다. 나는 누님에게 인정받고 싶을 뿐이었다.

왕족 특화도 개화한 마법 소양도 누님이 인정해줬을 때 비로소 의미가 있었다.

내가 나이기 위해서 누님이 필요한 건데 누님을 누님이라고 부를 수 없게 되다니.

누님에게는 내가 필요 없어?

나만 혼자 착각했던 거야?

누구에게랄 것도 없이 중얼거렸으리라. 누군가가 어깨를 쳐서 느리게 얼굴을 들었다.

걱정하는 표정으로 나를 바라보는 흑발의 소년이 있었다.

"아란 그레이. 학원에서 두각을 나타내봐. 네 누나는 너의 성장을 확신한다고 하잖아. 그럼 전하를 옆에서 모시는 것도 나쁜 일은 아니야. 실력자가 되면 돼. ……어디에 있든 그 이름이 들리도록."

"……누님이 어디에 있어도?"

"그래."

흑발의 소년이 끄덕였다.

누님은 결심을 굳힌 눈으로 나를 봤다. 그렇다면 나는 누님이 말한 대로 이 나라의 수호자가 될 거다. 이 힘을 올바르게 써서 누님의 자랑이 될 수 있도록 학원에서 힘을 기르겠다.

그로부터 누님과 함께 있을 수 있는 시간이 단 사흘로 정해졌다.

소중한 시간은 화살처럼 지나갔고 이별의 날이 찾아왔다.

누님과 헤어지는 건 싫지만 누님이 안심하고 나를 보낼 수 있게 웃어 보였다.

흑발의 소년, 크르트 선배 말대로 누님을 지킬 힘을 손에 넣기 위해서는 학원에서 배우는 것은 중요하다. 무엇보다 전하를 위해서 소집된 강사들은 최고일 터다. 탐욕적으로 지식을 흡수하면 언젠가 나라 제일의 실력자도 될 수 있을 거다.

길이 갈라진 것처럼 보여도 내가 나아가는 길 끝에는 반드시 누님이 있다. 그렇게 생각하면 고된 수업도 번거로운 인간관계도 어려움 없이 해낼 수 있었다.

학원에는 나를 호의적으로 대해주는 크르트 선배 같은 사람도 있었지만 대부분은 귀족다운 귀족이 모여 집단을 이루고 있었다.

귀족이라고 해서 누님처럼 고결한 인물은 별로 없다.

두꺼비의 아들이라며 비웃고 물을 끼얹고 다리를 걸어 넘어뜨리고 갓 지급받은 교복을 찢어놓은 적도 있었다. 죄인의 아들이라고 멸시하고 전하를 모시다니 천벌을 받을 거라고 면전에 대고 욕설을 퍼부었다. 하지만 이런 일쯤은 뒷골목에 살았을 때와 비교하면 일도 아니었다. 그 무렵에는 생명의 위기가 더 가까이에 있었다. 이런 유약한 도련님들의 괴롭힘이라고도 부를 수 없는 괴롭힘은 아무것도 아니었다.

하지만 이 녀석들도 멍청하다. 뒤에서 이런 짓을 하는 녀석이 전하에게 인정받을 수 있을 리 없다. 지위를 등에 업고 노력을 게을리 하고 타인을 추락시키면서 기쁨을 얻는 녀석들에게 눈길을 줄 전하가 아니다. 전하는 누님의 사촌이다. 비겁한 걸 아주 싫어한다.

전하는 어중간한 귀족 의식에 사로잡힌 녀석들보다 앞을 보며 자신을 단련하는 녀석을 좋아했다.

자신의 매력을 잘 아는 전하는 화려한 외모를 이용해 사람됨을 잘 판별해냈다. 집안만 보고 인재를 선별하지 않았다.

사무나 경리 같은 수수한 직책이라도 향상심이 있는 자를 찾는다는 것은 보면 알 텐데도 어떻게든 전하에게 아첨하려 하는 귀족 자식이나 실무를 싫어하고 교실에 색을 더할 뿐인 귀족 영애는 그것을 알려고도 하지 않았다. 언젠가는 말을 걸어올 거라고 굳게 믿고 있는 거다.

"……저 녀석들은 뭐하러 학원에 온 거야?"

"아마도 자신이나 그 집안에 이득이 되는 유망한 결혼상대를 물색하고 있는 게 아닐까요."

"……과연. 학원은 맞선의 장인가."

딴 데서 해, 민폐다, 라는 글씨가 전하의 얼굴에 큼직하게 써져 있었다.

그럼에도 전하의 시선 끝에서 눈길을 끌려고 싸우는 영애들은 줄지 않았다.

언젠가 한 번 얼굴도 이름도 모르는 영애가 불러 세워 이렇게 말했다.

"아란 그레이. 내 이름을 부르는 걸 허락할게. 전하가 쉬실 때 나를 불러."

……허락한다고 해도, 네 이름을 모르는데.

쉬는 시간에 그 뜻을 전하에게 전했더니 호위 기사에게 둘러싸인 일방적인 심문 데이트가 펼쳐졌다. 참고로 전하는 우아하게 차를 마시면서 수수방관으로 일관했다. 누님이 말한 대로 정말로 좋은 취미라며 질려 있었더니, 예의 그 영애가 눈물을 글썽이면서 나를 노려보며 달려들었다.

"아, 아란 그레이! 네 탓이야! 무슨 말이든 해봐!"

"왜 그러세요? 집안도 이름도 학원 소속도 알려주지 않고, 전하를 만나면 알아봐주실 거라고만 말하는 영애가 전하를 뵙고 싶다고 하기에 그 뜻을 전달한 것뿐입니다. 이건 전하의 호위 기사로서 지극히 당연한 반응입니다."

무엇보다 면회 신청서조차 없었다. 어느 세계에서건 일국의 왕자가 면회 예약도 하지 않은 처음 보는 수상한 자와 합석할 리가 없잖아?

별안간 호위들에게 둘러싸여 심문이 시작됐으니 영애가 위축되는 <sup>데이트</sup> 것도 이해하지만 그렇다면 처음부터 집안과 이름, 소속 학과를 밝히고 전하에게 면회를 신청했으면 됐다. 만나면 알아볼 거라고 자신만만하게 말했지만 전하도 영애의 얼굴을 보고 고개를 갸웃했다.

충분히 시간을 들여 생각한 후 전하가 천천히 입을 뗐다.

"……도르가 백작가의 영애였나? 아닌가? 그럼 라스한 변경백의 둘째 딸…… 이것도 아닌가? 아아, 잠깐. 너는 내가 널 안다고 했지? 기억나지 않으면 실례잖아. 그래. 그 머리카락 색깔. 이스타판 후작가의 셋째 딸이겠지! ……이크, 틀렸나? 미안하군."

……전하. 전혀 안 미안해 보여요. 즐기시는 거군요.

그 후 전하는 시간을 들여 영애는 누구다를 반복하다가 활짝 웃으며 그녀에게 최후의 일격을 가했다.

"반드시 네 이름을 생각해낼 테니까 이름을 밝히지 마! 이름이 생각나면 내가 만나러 갈 테니 그때까지 기다리고 있어."

사실상 면회 거부였다.

분명 전하는 얼굴과 이름도 알면서 그렇게 말했을 거다.

……전하는 지위를 믿고 잘난척하는 고압적인 귀족을 싫어했다.

그리고 아무리 지위가 낮아도 노력을 게을리 하지 않고 향상심을 가진 자를 좋아했다.

예를 들면 크르트 메이덴.

크르트 선배는 묵묵히 자신을 단련하는 모습을 전하에게 인정받아 전하가 곁에 불러들인 검사였다. 여러 번 시합을 해봤지만 움직임이 민첩하고 빈틈이 없었다. 날카로운 검술과 풍부한 완급 조절로 마치 춤추듯 검을 휘둘렀다. 바람의 마법 특성을 살려 돌파하려 해도 선배의 반격이 빨라서 한 번도 이기지 못했다.

검을 향한 선배의 열정은 뜨거웠다.

금욕적으로 끊임없이 단련하는 모습이 멋있다며 여학생들이 시끄럽게 굴어도 신경도 쓰지 않고 성장을 서두르듯 검을 휘둘렀다. 아슬아슬한 곳까지 자신을 밀어붙이면서 수련을 거듭하는 모습에는 존경심을 품고 만다.

예를 들면 비알 달폰.

단순한 문지기였지만 전하의 눈에 들어 장군에게 넘겨져 근위대에 편입됐다. 학원에서 예의범절을 익힌 후에 왕성에서 근무하게 될 모양이었다.

어제 학원 소유의 수련장에서 송장이 되어 있었다. 장군이 직접 검술 상대를 해주고 있어 기대가 크다는 걸 알 수 있었다. 불꽃 마법 특성을 지닌 희귀한 마법 검사라는 것이 이유일지도 모른다.

비알 씨를 솔선해서 사건에 끌어들인 건 누님이었다. 처음에는 마지못해 어울려줬지만 마지막에는 누님의 예측에 따라 먼저 움직이면서 대활약을 펼쳤다.

누님의 터무니없는 계획에 어울려준 귀중한 인재지만 누님의 싸늘한 눈빛을 잊을 수 없다. 뭐랄까…… 여자의 적인 거다. 누님이 복숭앗빛 대원이라고 부르는 건 끌어들일 때마다 다른 여성과 함께 있었기 때문이다. 언젠가 누님이 그를 보고 「할렘 용사」, 「리얼충」이라고 중얼거렸었다. 어쩌면 누님은 비알 씨의 이름을 잊어버린 건지도 모른다.

크르트 선배도 그렇고 비알 씨도 그렇고 전하 곁에는 우수한 동료가 많다.

귀족 자녀들의 반감에도 익숙해졌고 무엇보다 전하와 크르트 선배가 요구하는 수준이 높았다. 최대한 우수한 성적으로 학원을 졸업하고 왕성 근무자라는 지위를 얻을 수 있게 도와주셨다.

전하가 말씀하시길 내가 왕성에 근무하게 되면 누님의 후원자로 인정받을 수 있다고 했다. 그게 누님을 데려올 수 있는 가장 견실하고 확실한 때라고 말씀하셨다.

나도 그렇게 생각하고 단련에 힘썼다.

매일 충실한 학원 생활을 보냈지만 뜻밖의 재회가 있었다.

기림 선생님과 마리아 선생님이었다.

"오랜만이다, 아란."

"잘 지냈니?"

아클라우스가가 몰락한 지금, 귀족 계급일 그 두 사람과 학원에서 만날 날이 올 줄은 몰랐다.

"……선생님들이 어째서 이곳에?"

"전하의 교사로서 아란의 마법 소양을 신장시키는 일은 급선무라고 왕과 교섭을 했어."

"응, 그렇게 됐어. 앞으로 아란의 마법 지도도 맡을 거야. 다시 잘 부탁해."

원래 왕성 근무자인 데다 전하의 교사이기도 했던 두 사람은 학원에서도 교편을 잡게 된 모양이었다.

두 가정교사가 이 나라의 왕성에서 확고한 지위를 구축하고 있었다는 사실에 경악했다. 전하의 교사라니…… 처음 듣는 말이었다.

전하의 보호를 받은 나에게는 전하의 측근이 되는 미래밖에 없었다. 크르트 선배와 혹독한 지도를 받게 될 거라는 것은 알고 있었다. 전하를 지켜야 하니 어떤 선생님이 와도 버티겠다고 맹세도 했다. 하지만.

"선생님이 되기 전에 보호자였던 엘로즈와의 면담을 요구한다."

"아트페에 갔지만 가족이나 정당한 이유가 있는 제3자 이외의 면담은 금지되어 있다네. 담당 학생의 학습 내용을 알리는 건 훌륭한 면담 사유가 될 것 같은데."

……두 사람이 누님을 노린다는 사실 앞에 존경심도 사라졌다.

"공교롭게도 현재 제 보호자는 왕가라서 누님에게 보고할 의무는 없어요. 게다가 저는 제가 어엿한 성인이 됐다고 생각할 때까지 아트페에는 가지 않을 겁니다. 그러니 부디 나쁘게는 생각하진 마세요."

""뭐, 라고.""

무심코 눈을 반쯤 뜨고 그렇게 알리자 선생님들이 경악한 얼굴로 얼어붙었다.

학습 내용 알림 정도로 수도원 면회가 이루어질 거라고 생각한 두 사람이 훨씬 경악스럽다!

……그러자 전하가 참기 힘들다는 듯이 뿜었다.

깜짝 놀라 전하를 돌아보자 크르트 선배의 어깨에 기대면서 자지러지게 웃고 있었다. 그리고 평소라면 조용히 대기하고 있을 크르트 선배가 험악한 얼굴을 숨기지도 않고 선생님들을 노려보고 있었다.

당사자인 선생님들로 말하자면 전하와 선배의 시선을 알아차리고 경악을 감추고 조용히 시선을 받았다.

"과연 가족부터 공략하러 온 건가."

거절당한 것 같지만, 하고 전하가 웃자 "……늦었어." 하고 크르트 선배가 신음했다.

"선배?"

"……아니, 아무것도."

늦었다는 건 무슨 뜻이냐고 물어도 크르트 선배는 말을 얼버무릴 뿐이었다.

"전하, 아트페에 면회 허가를."

"할 수 있었으면 벌써 했어."

선생님들의 말에 전하는 어깨를 움츠리면서 답했다. 그 후에는 선생님들과 전하가 얼굴을 맞대고 뭐라고 진지하게 대화를 나누는 듯했다.

"아, 엘로즈 누이가?"

"나도 본 적 없는 마법진을 사용했어."

"마력 실을 사용해서 처음 보는 진형을 새겼어. 그건 무척 강력한 마법진이야."

"……그게 사실이라면 정말 흥미로운 보고인데."

무슨 대화를 나누는 건지는 몰랐지만 아마도 누님에 대해서겠지. 그때 품었던 작은 의문도 머지않아 일상 속에 희미해져갔다.

기림 선생님과 마리아 선생님의 학원 수업이 시작됐다.

요구되는 이상은 높았다. 도달하기 위해서 자신을 몰아세웠다. 학원에서 훈련으로 나날을 보냈다.

그날은 가일 전하의 제안으로 시합을 하게 되었다.

크르트 선배의 당당한 분위기는 어쩐지 누님과 많이 닮았다.

부드러운 태도나 말씨, 평민 학생을 대하는 예의도 귀족의 그것과 다르지 않았다.

그런데 일단 검을 잡으면 야차 같은 분위기를 풍겼다.

검술도 훌륭해서 받아넘기기에 급급했다. 공격 따위는 허용되지 않았다.

유연한 검객이었다. 그 아름다운 검술을 조금이라도 흉내 내고 싶어서 끈질기게 물고 늘어졌다. 하지만 속도도 정확도고 당해낼 수 없었다.

칼과 칼이 부딪칠 때마다 몸을 일깨우듯 진지하게 임했다.

시합이 끝난 후에는 어떻게 뚫고 나갔어야 되는지를 함께 검토했다. 크르트 선배는 내 이야기를 진지하게 들어줬다. 정말로 좋은 선배를 만났다고 생각한다.

그때, 함께 연습하며 모의검을 휘두르고 있던 가일 전하가 큭큭, 웃었다.

의아해져서 선배와 전하를 보자, 전하가 땀을 닦으면서 다가왔다.

"⋯⋯크르트, 아란. 그대로 네 시 방향을 봐. 보기 드문 생물을 보게 될 거야."

전하가 속삭였다.

무슨 일인가 하고 들은 대로 네 시 방향으로 시선을 옮겼다.

순간, 건물 그림자 뒤로 사라지는 먹색 옷이 시야 끝에 걸렸다.

무심코 휙, 전하를 보고, 크르트 선배를 봤다. 크르트 선배도 마찬가지로 놀란 표정이었다.

다시 한 번 천천히 시선을 향하자 마침 같은 타이밍에 천천히 건물 그늘에서 얼굴을 내미는 소동물이 보였다.

크르트 선배가 어깨를 탁, 치고는 실눈을 뜨고 웃었다.

가일 전하가 내 머리카락을 한 손으로 흐트러뜨리고는 태양처럼 웃었다.

함께 기쁨을 나눌 수 있는 동료가 있다는 것은 얼마나 멋진 일인가.

나도 소리 내어 웃었다.

누님, 누님, 제 모습이 보이세요?

나는 당신의 자부심이 되었나요?

그 뒷골목에서 나는 돈이 인생을 결정한다는 말을 뼛속까지 새겼다. 모두가 입을 모아 노력은 부질없다고 단언했다. 하지만 아낌없이 노력하면 언젠가 소원은 이루어진다고, 이루기 위해서 노력하는 거라고, 당신이 나에게 가르쳐주었다.

그러니까 누님. 힘을 길러서 지켜줄 테니, 데리러 갈 때까지 기다려.

*　*　*

"아트페 수도원에 굉장한 능력자가 있는 모양이야. 수호의 진을 수놓은 부적이 효험이 있어."

수련장에서 그런 소문이 돈 것은 언제였을까.

누님이라는 것을 바로 알았다.

"아트페에 갈 때마다 다 팔렸더라. 꼭 구하고 싶은데."

"수도원 다음 바자회는 언제 열리는데?"

"아트페 근교 고아원에서도 같은 부적을 파는 걸 봤어."

"뭐? 어느 고아원인데?"

수련장에서 땀을 흘리는 병사나 근위 기사, 성의 경비병, 시종들까지 영험한 부적 이야기를 하고 있었다.

젊은 시녀들에게 인기 있는 것은 마음이 전해지는 부적이고, 가족에게 인기 있는 것은 가정 내 평화나 가족의 건강을 기원하는 부적이라고 했다.

굉장한 인기잖아. 역시, 누님이야, 라고 기뻐졌다.

또 어느 날은 딕섬 공작가의 부인이 학원에 견학을 온다는 공지가 있었다.

유명한 검객, 마술사, 학생 할 것 없이 모두가 들떴다. 부인의 기억 한구석에 작은 잔상을 남기기만 해도 장래는 보장된 거나 다름없다며 소란을 떨었다.

우승자에게는 금일봉과 공작가가 직접 쓴 추천장, 공작 영애의 축복의 키스가 돌아간다고 했다. 영애에게 좋아하는 사람이 있으면 어쩌지, 라고 생각했지만 나와 상관없는 일이었다.

그래서 공작가 주최의 토너먼트전이 열리는 날도 무심히 단상을 올려다봤다.

"……저건."

밤색 머리카락을 가진 화려한 여자가 보였다. 하지만 어디선가 본 듯한 기분이 들어서 눈을 가늘게 뜨고 단상에 있는 여자를 응시했다.

"……혹시 엘로즈 양 아냐?"

크르트 선배가 의아한 듯 중얼거려서 깨달았다.

단상의 공작 영애석에 누님이 앉아 있었다.

우승 상품의 핵심은 공작 영애의 축복의 키스였다. 누님의 키스가 경품이 됐다!

말도 안 된다. 얼굴이 창백해졌다.

"공작부인도 사람이 짓궂어."

전하가 슥, 눈을 가늘게 떴다.

"아란, 같이 하자. 처음부터 날려버릴까."

크르트 선배가 모의검을 손에 쥐었다. 감도는 공기가 날카로움을 더해갔다.

"크르트, 전방을 맡아줘. 아란은 파상 공세로 유격. 나는 방어를 맡을게. 날려버리자고!"

전하가 목소리에 힘을 실어 말했다. 그에 응답하듯 나도 움직였다. 몸이 뜨거워지는 것을 느꼈다.

1차전에서 전하의 말대로 날려버렸다.

공수를 바꾸며 크르트 선배와 연계해서 상대를 농락했다. 시합이 끝날 때마다 누님이 앉아 있는 단상을 올려다봤다.

볼을 빨갛게 물들이고 매회 진지한 표정으로 우리의 경기를 지켜봤다.

그 반짝이는 눈빛이 잘했다고 칭찬해주는 것 같아서 저절로 입꼬리가 올라갔다.

크르트 선배가 팔꿈치로 내 가슴을 찔렀다. 전하가 나와 크르트 선배의 어깨에 손을 두르며 웃었다. 셋이서 함께 소리 내어 웃었다.

무난히 살아남아 결승전을 눈앞에 두고 마침내 기림 선생님과 만났다.

"연계 속도를 높이자고. 일격 후퇴, 완급을 조절하면서 공격한다. 알겠지?"

전하의 전술에 수긍했다.

……하지만 역시 기림 선생님은 강했다.

초반에 크르트 선배가 지면을 박차고 상공에서 휘두른 검을, 기림 선생님은 깨끗이 받아넘겼다. 긴 갈색 앞머리 사이로 드러난 푸른 눈동자는 여전히 차가웠다. 크르트 선배의 움직임에 맞춰 기림 선생님의 발을 노린 내 검도 가볍게 빗나갔다.

혀를 한 번 찬 크르트 선배가 몸을 낮춘 자세로 검 끝으로 투기장의 돌바닥을 깎으면서 속도를 올려 기림 선생님에게 돌진했다. 나도 역방향에서 근접전을 노리고 달렸다.

몸의 표면에 희미하게 빛나는 방어막이 쳐진 것을 확인하고, 크르트 선배와 시선을 주고받았다. 기림 선생님의 정면 가까이 파고들어 코앞에서 방향을 전환했다. 크르트 선배가 상공에서 검을 휘두르고, 나는 다리를 노리고 몸을 깊숙이 숙였다.

요란한 소음과 함께 전하가 친 방어막이 해제됐다.

크르트 선배가 전하의 방어막이 풀린 사실에 경악한 표정을 그대로 드러내며 내리친 기세 그대로 검을 돌바닥에 꽂았다.

돌아 들어갔던 나도 바람 공격 마법을 검에 실어 베려 했지만 검에 휘감긴 바람 마법이 순식간에 해제됐다.

그때, 크르트 선배의 다음 일격이 바람을 찢고 기림 선생님의 정면에 도달해 있었다. 이번에야말로 성공이라고 생각한 순간, 기림 선생님은 얼굴색 하나 변하지 않고 손바닥으로 칼날을 막아냈다.

믿을 수 없는 현실에 눈을 부릅뜬 것도 잠시, 바로 다음 순간 내동 댕이쳐졌다.

……정신이 들었을 때는 세 명 다 돌바닥에 쓰러져 있었다.

"항복인가?"

기림 선생님은 시합 신호를 받은 곳에서 한 걸음도 움직이지 않은 채였다. 게다가 여전히 맨손이었다. 담담히 항복을 재촉하는 선생님에게 전하가 깊은 한숨을 내쉰 뒤 끄덕였다.

―우리는 졌다.

압도적인 실력 차였다.

쫓아가도 따라잡을 수 없는 분함은 다섯 살 때 맛본 괴로움이었다.

그 강함이 부럽고 분해서 노려봐도 기림 선생님은 알아채지 못했다. 처음부터 상대해주지 않았던 거다.

기림 선생님은 시합이 끝나자마자 관람석을 살폈다. 무언가를 찾는 것 같은 눈빛에 설마 했다.

누님은 줄곧 기림 선생님에게 시선을 빼앗긴 채였다.

아클라우스가에 살던 무렵에는 애달픈 눈빛으로 자신을 바라보는 누님을 아이 대하듯 가볍게 받아넘겼었는데.

그대로 영원히 알아채지 않았으면 좋았다.

―누님을 바라보는 기림 선생의 눈이 변했다.

누님과 눈이 마주쳤는지·선생님의 입가에 기쁜 듯이 미소가 번지는 것을 보고 초조함과 비슷한 감정에 지배당했다.

어째서 지금 알아챈 거야. 어째서 알아채고 만 거야.

그렇게 둔하고 누님을 아이라고 생각하고 의식도 하지 않았으면서.

기림 선생님은 어느새 누님을 원하는 남자의 눈을 하고 있었다.

그럼 나에게는 승산이 없지 않은가.

기림 선생님이 누님에게 손을 뻗으면 누님은 망설임 없이 그 손을 잡겠지.

……내가 아무리 노력해도 이제 누님에게 돌아갈 장소는 될 수 없다.

스스로를 부끄러워하는 마음으로, 하지만 누님의 행복을 위해서라면 이 가슴속에 소용돌이치는 상실감도 받아들이자고 생각했다. 누님에게 첫 번째가 될 수 없는 현실은 가슴 아프지만 기림 선생님을 그렇게 연모했던 누님을 위해서라면, 이라고 체념했는데.

마리아 선생님과의 결승전에서 기림 선생님의 변장이 벗겨지면서 대현자님이었다는 사실을 알고 난 후부터 누님의 반응이 이상했다.

누님과 서로 마음이 통했으니 기림 선생님이 림 도사님이었다고 해도 상관없이 두 사람은 맺어져서 해피엔딩이 될 줄 알았는데 말이다.

……선생님, 도대체 뭐하는 거야. 나보다 훨씬 어른에 머리도 좋으면서.

누님은 지금껏 본 적도 없을 만큼 상처받은 표정을 짓고 있었다.

저렇게 슬프게 저렇게 덧없이 웃는 누님을 보게 될 줄은 몰랐다.

표창식이 끝난 후, 도저히 잠자코 있을 수 없어서 전하, 크르트 선배와 함께 서둘러 누님 곁으로 갔다.

기림 선생님과 마리아 선생님 두 사람이 이름을 속였었다는 사실은 놀라웠다.

하지만 누님이 기림 선생님, 아니, 림 도사님의 손을 잡을 마음이 없다는 사실이 더욱 놀라웠다.

누님은 이름을 속이게 한 빚이 있다고 말했지만 사실은 그 손을 잡고 싶었던 게 틀림없다.

그야 누님의 미소에는 희미하고 덧없는 슬픔의 색이 짙게 배어 있었으니까. 어째서 서로 사랑하는데도 손을 잡으려 하지 않는지 생각해봤지만 누님의 깊은 뜻은 헤아릴 수 없었다. 분명 죄인의 딸이라는 사실을 의식하는 거겠지만.

하지만 누님은 우리를 걱정시키지 않으려고 가슴 아픈 미소를 지으며 화제를 돌렸다.

누님은 어떻게 지내고 있는지에 대해서 즐겁게 이야기해줬지만 그 일 내용이 누님에게 슬며시 다가온 마수의 존재를 더욱 부각시켰다. 로리콘의 집착은 대단하다.

언제 한 번 림 도사님과는 마음을 터놓고 이야기해야겠지.

불안정한 나와 쭈뼛대는 누님을 보고 딕섬 공작가의 아들인 나윌 님이 방까지 배웅하듯 나와 누님을 떠밀었다.

누님을 에스코트하면서 걷는데도 마음의 구름은 걷히지 않았다.

"누님, 저와 함께 살아요! 기숙사에는 메이드가 쓰는 방도 있어요. 물론 누님을 메이드 취급하는 건 아니지만 표면적으로 제 메이드인 걸로 해두면 함께 살 수 있어요."

울고 싶은 심정으로 매달리자 누님은 눈을 동그랗게 뜨고 나를 봤다.

"아란, 나는 지금의 생활이 만족스러워. 이대로 아트페에서 살아가려고 해. 네 족쇄가 되고 싶지 않아."

"누님, 누님은 족쇄가 아니에요."

"하지만 내가 약하다는 건 알고 있지? 전하의 측근이라는 지위는 앞으로도 계속되는 거야. 나는 수비의 요체도 될 수 없는 약점일 뿐이야. 내가 만약 눈앞에서 검에 찔리게 생겼어도 아란은 전하를 지킬 수 있어?"

"전! 제가 전하와 누님을 모두 지킬 거예요!"

마주잡은 손을 강하게 쥐었다. 누님이 순간 눈을 크게 뜨더니 꽃처럼 환하게 미소 지었다.

"고마워, 아란. 무척 강해졌구나. 하지만 나도 네가 생각하는 것만큼 널 지키고 싶어. 이상하려나?"

"누님."

"난 네 누나잖아. 누나는 남동생 앞에서는 허세를 부리고 싶은 법이야. 네 손에서는 강한 힘이 느껴져. 열심히 노력하고 있다는 걸 잘 알 수 있어. 있지, 아란. 난 이미 충분히 보호받고 있어. 앞으로는 네 손으로 이 나라를 지켜줘."

"누님. 난 누님을 지키기 위해서 훈련해왔어요. 누님도 이 나라의 백성도 꼭 지킬게요. 그러니까—."

"그게 아란의 꿈이지?"

"네."

"멋진 꿈이야. 누나는 네가 무척 자랑스러워."

"누, 님."

멍하니 중얼거리자 누님이 후후, 웃으며 내 뺨에 입술을 가져왔다. 달콤한 꽃향기가 나서 가슴이 두근거렸다.

누님의 입술이 귓가에 닿을 만큼 가까워져서 눈을 꼭 감았다. 숨결이 스치는 거리에서 누님이 속삭였다.

"(아란, 공작가 대기실에 도둑이 든 것 같아. 선생님들을 불러와.)"

"누니—."

어째서, 라고 입술이 움직였지만 그것을 차단하듯 말이 겹쳐졌다.

"아란 님, 에스코트 고마워요. 그럼 이만 전하 곁으로 돌아가세요."

유무를 따지지 않듯 목소리에 삼엄함이 감돌았다.

누님은 미소 띤 얼굴로 나의 각오를 묻고 있었다.

희미하게 푸른 눈동자가 고요히 나를 꿰뚫었다.

침입자의 목적은 공작가겠지.

누님은 여자 한 명이라면 방심할 거라고 짐작한 거다. 방심을 유도하고 그 틈에 붙잡기 위한 인원을 확보한다.

순간적인 감정에 휩쓸리지 않고 그렇게 할 수 있겠니. ……그렇게 귓가에 속삭이는 것 같았다.

시험당하는 거라면 최선의 결과를 보여주겠어.

당신 앞에 내놓을 것은 모두 완벽하게 만족시킬 수 있는 것이어야만 해.

그렇다면 내가 선택할 길은 하나뿐이다.

"……저야말로 도움이 되어서 영광입니다."

누님 앞에서 완벽한 예를 선보였다. 배운 대로 오른손 주먹을 가슴에 대고 왼손을 뒤로 둘러 우아하게. 아클라우스 첫째 딸의 남동생이라면.

그리고 누님이 바라는 대로 미운 남자를 끌고서 최고 속도로 이곳으로 돌아오겠다.

나는 발길을 돌려 짐짓 우아하게 걸었다. 모퉁이를 돌자마자 내달렸다.

뒤는 돌아보지 않았다.

림 도사님. 나는 당신을 용서하지 않아. 누님을 그렇게 빠지게 만들어놓고선 저런 표정을 짓게 만든 당신을.

하지만 그런 분노도 억누를 수밖에 없었다.

지켜주고 싶은 사람 앞에서 미운 남자를 의지해야만 하는 딜레마가 가슴을 태웠다.

힘을 길렀다고 자부해도 아득한 실력 차이에 이를 갈았다.

"기림 선생님! 공작가 대기실에 침입자가!"

노크를 하는 둥 마는 둥 문을 열고 선생님들에게 알리자 그들은 끝까지 듣지 않고 방을 뛰쳐나갔다. 나도 서둘러 뒤쫓았다.

누님 곁에 돌아왔을 때는 모든 것이 끝나 있었다.

아무래도 침입자는 누님이 붙잡은 모양이었다. 그 후에도 이것저것 상관하고 싶어 하는 선생님들은 누님을 아트페까지 데려다주겠다고 말했지만 당사자인 누님의 거절에 부딪쳐 풀썩 무릎을 꿇었다.

슬퍼하는 선생님들을 본체만체하고 누님은 혼자서 돌아갈 모양이었다.

그렇다면 적어도라는 마음에 청소가 다 끝날 때를 기다려서 마차 정거장까지 배웅했다.

"……누님, 또 언제 만날 수 있어요?"

"아란, 곧 만날 수 있어."

그렇게 말하고, 빙그레 미소 지은 누님은 마차에 올라탔다.


─한밤중에 왕성을 뒤흔든 건 동쪽 끝에서 일어난 이웃나라의 국경 침공이었다.

구원 요청에 즉시 군대가 편성됐다. 림 도사님과 마리우스 선생님도 종군하고, 지위는 장군이 맡는다고 했다.

삼엄한 출정을 학생들과 기숙사에서 배웅하는 수밖에 없었다.

전하는 험악한 얼굴로 시종과 연락을 취하고 한밤중에도 불구하고 곧장 왕성으로 향했다.

크르트 선배와 허리에 찬 검을 확인하고 전하를 따랐다. 왕성 안은 벌집을 쑤셔놓은 듯 정신이 없었다.

"……역시였어. 도사님이 나간다고 해서 설마라고는 생각했지만."

왕성에서는 침공당한 장소가 벌써 특정되어 있었다.

아트페 수도원이 습격당했다고 했다.

부적 제작자를 내놓으라는 말에 거부하자 이웃나라 병사가 분풀

이로 수도원에 불을 질렀다고 했다.

부적 제작자가 화마에 휩싸여 죽었다고 했다.

녹색 손이 이웃나라의 병사를 거역해 참살됐다고 했다.

세간에 알려지지 않았지만 부적 제작자와 녹색 손은 동일 인물이었다.

냉수를 끼얹은 듯 몸이 얼어붙었다.

어리석었다. 누님이 말려도 억지로 마차에 올라타 함께 갔으면 좋았다.

함께 있었어도 달라질 게 없다는 건 알지만 손을 잡고 도망칠 수 있었을지도 모른다. 누님 대신 칼을 막을 수 있었을지도 모른다.

내가 한심해서 누님을 혼자—.

"아란! 들어!"

전하가 거칠게 머리를 움켜쥐어 억지로 얼굴을 들어올렸다.

"……전하."

느리게 시선을 마주쳤다.

목울대가 뜨거워서 목소리가 나오지 않았다. 울고 싶은 듯한, 소리치고 싶은 것 같은 정체를 알 수 없는 감정이 소용돌이쳤다.

"괜찮아. 녀석은 살아 있어. 구원 요청이 너무 빨라. 수도원 습격은 그 녀석이 아트페에 돌아가기 전에 일어났을 거야."

전하가 그렇게 말하며 턱짓을 했다.

전하가 가리킨 곳을 보자 폐하와 재상이 지시를 내리고 있었다.

"……림 도사님과 마리우스 선생님은."

"맞이하러 갔겠지."

크르트 선배가 조용히 말을 이었다.

"이웃나라의 침공 따위로 당황할 우리나라가 아니야. 그렇지? 아란."

안도한 나머지 긴장했던 온몸에서 힘이 빠져나갔다.

정면으로 나를 응시하는 전하와 크르트 선배의 얼굴을 올려다 봤다.

"누님은, 무사한가요?"

"만에 하나 다쳤다고 해도 죽지 않은 한 고칠 수 있겠지. 그 두 사람이 함께 있는데 못 고칠 사람은 없어."

전하는 그렇게 말하며 빙긋 웃었다.

"……아란. 장군은 폐하의 명령이 떨어지면 즉시 출발해. 림 도사님과 마리우스 선생님은 이쪽에서 부탁한다고 네, 그렇습니까, 하고 출발할 사람이 아니야. 그야말로."

"""스스로가 그걸 원하지 않는 한."""

전하와 크르트 선배, 그리고 내 목소리가 겹쳐졌다.

천천히 머리가 돌아가기 시작했다.

아아, 그래. 그 말대로다.

그렇다면 그 둘은 스스로 간 거겠지.

누님을 구하기 위해서 움직이고 싶어 한 거겠지.

그렇다면 누님은 괜찮다고 안도한 나에게 전하가 목소리를 낮추 며 속삭였다.

"……하지만 진실이 어떻든 아버지는 그 녀석을 죽은 걸로 하시고 싶은 모양이야. 아란, 너도 괴롭겠지만, 때를 기다려.”

전하의 표정이 살짝 미안해하는 것처럼 보이는 건 기분 탓만은
아니겠지.

하지만 전하 덕분에 희망이 생겼다.

그렇다면 누님의 자랑스러운 남동생으로서 추한 꼴을 보일 수는
없었다.

누님처럼 우아하게 누님처럼 씩씩하게 이 자리를 제압할 뿐이었다.

“기다리는 건, 익숙해요.”

똑바로 얼굴을 들고 미소 지었다.

# 어느 전하는 중얼거린다

오만하게 굴지 마라. 응석부리지 마라.

노력은 당연한 것. 결과는 필연적인 것.

그 몸을 장식한 모든 것이 국가를 위해 존재하는 거니까.

어렸을 때부터 들어온 말들.

타고난 그분은 국가를 위한 존귀한 희생물. 그 몸 안에 흐르는 피 한 방울까지도 국민의 피와 땀의 결정인 혈세로 만들어졌다.

왕과 왕비를 부모로 두고 자궁 속에서 숨쉬기 시작한 순간부터 그 몸도 마음도 마력도 모든 것을 국토와 국민을 위해 바치는 나라의 짐승이니까.

조부와 아버지가 주는 부담에 짓눌리는 일은 없었다.

기대에 부응하는 건 즐겁고 기쁜 일이었다.

섬기는 자들이 칭송하는 목소리는 왕성에도 닿았다.

……왕자 전하는 총명하시다. 지혜로우시다.

이로써 또 우리나라는 백 년의 영화를 약속받았다.

그 희귀한 색채를 지닌 고귀한 분이시여. 보석이여.


왕족은 완벽했다.

……아클라우스에게 시집간 한 명의 공주를 제외하면.

잔잔한 마음에 돌이 던져진 순간이었다.

아클라우스가의 악명은 깊고 넓게 이 나라를 뒤덮고 있었다.

한 명의 공주란 당대 폐하의 누이동생이었다. 그 혼처는 나라의 안 좋은 것을 한 곳에 모아놓았는지 악명이 자자했다.

내가 태어났을 때도 위험시됐다고 했다.

폐하조차 고모님이 어떤 일을 꾸밀 거라고 생각했을 거다.

실제로 아버지 자신이 여러 번 생명의 위기를 넘겼으니 그렇게 걱정하는 것도 당연한가.

아버지도 근위 기사도 밤낮을 따지지 않는 자객의 습격에 시달렸다.

그러나 좀처럼 꼬리를 잡히지 않는 교활함에 모두가 이를 갈고 격노했다.

태어나자마자 악의에 노출되고 목숨을 위협받던 나는 어린 나이임에도 왕족 특성에 눈떴던 모양이다.

자객이 던진 칼을 튕겨낸 견고한 방패. 처음에는 단순한 행운으로 받아들여진 그것은 해마다 견고해졌고 광범위하게 발동할 수 있게 됐다.

독을 튕겨내고 칼을 튕겨내고 해할 마음을 가지고 접근하는 자를 날려버렸다. 아버지가 자랑스러운 눈빛으로 나를 보는 게 기뻤다.

그리고 세 번째 생일을 축하하는 자리에서 내 방어 마법이 발동했다.

아클라우스가 당주 부부와 그 측근 귀족들을 일제히 날려버린 거다.

아우성치는 남녀와 그 혼란의 중심 속에서 태연히 서 있는 소녀의 모습은 인상적이었다.

튕겨 날아간 남녀가 곳곳에서 신음했다. 그러나 소녀만은 옷깃 하나 흐트러짐이 없었다. 한없이 고요한 물빛 눈동자로 나를 응시했다.

사촌 누이는 치맛자락을 살짝 들어 올려 예를 갖췄다.

내가 무의식중에 발동한 결계 「안쪽」에서.

방어벽 「바깥쪽」에서 신음하는 그녀의 부모를 보는 일도 없었다.

"안녕하셨어요, 폐하. 가일 전하, 생일을 축하드려요. 저는 어디서 부모님을 기다리면 될까요?"

아버지의 눈동자가 흥미로운 것을 보듯 가늘어졌던 것을 기억한다.


아버지나 할아버지가 표면적으로 사촌 누이를 도와주는 일은 없었던 것으로 기억한다.

다만 사촌 누이는 소문으로 듣던 아클라우스가의 악행에 가담한 것처럼은 보이지 않았다.

선대가 잠입시킨 첩자로부터 도착한 보고서를 꽤 오랜 시간이 흐른 뒤에 읽은 적이 있다. 다 읽고 역시, 라고 생각했다.

사촌 누이는 부모를 닮지 않았다.

자신을 방치하는 부모를 때때로 그리워하면서 엇갈리는 생활을 했다. 불과 여섯 살인 소녀는 가까스로 살고 있었다.

아침에 일어나 세수를 하고 옷을 입고 간소한 식사는 늘 혼자 먹었다. 내가 어렸을 때를 떠올리며 과연 그게 가능했을까 자문했다.

모르는 것은 집사나 고참 시녀에게 묻고, 가정교사 없이도 있는 힘껏 지식을 얻기 위해 저택의 도서실을 드나든 모양이었다. 차마 두고 볼 수 없었던 집사가 글과 산수를 가르친 모양이었다.

어머니처럼 낭비벽에 빠지지도 않았고 아버지처럼 색에 빠지지도 않았다. 그녀는 부부에게 잊혀진, 수고가 들지 않는 딸이었다.

객관적으로 본 것만을 보고하는 첩자의 정기 보고서에 변화가 생긴 것은 이 무렵부터였다.

아클라우스 부부가 벌인 악행의 증거와 그 딸의 근황을 한탄하는 목소리였다.

한탄스럽게도 사촌 누이의 부모는 그녀에게 애정은커녕 기본 소양을 익히기 위한 교사조차 붙여주지 않은 모양이었다.

존재가 잊혀진 그녀의 근황을 알리는 보고서에는 적어도 제대로 된 가정교사를 보내달라고 적혀 있었다.

그만큼 그녀를 둘러싼 상황은 가혹했을 거다.

나의 스승은 림 도사와 마리우스 의사다.

그 둘은 나의 교육에 빼놓을 수 없는 인물들이다.

언젠가 그들이 할아버지와 언쟁을 벌인 적이 있었다.

오래된 보고서는 기억의 밑바닥을 자극했다. 떠올리자 그때의 풍경이 선명히 떠올랐다.

"어째서 내가. 이제 겨우 안심하고 잠들게 됐다고 생각했는데."

"그 여자를 다시 볼 생각을 하면 죽고 싶어진다고."

"……여장을 하는 것도 방법이겠지. 그 여자는 잘생긴 남자를 보면 절조고 뭐고 없지만 여자에게는 완전히 무관심하니까."

"어째서 그렇게까지 해야 해. 죄는 차고 넘칠 만큼 있겠지. 적당히 잘라버려."

"림 말이 맞아. 왜 이제 와서 그 집에 가야 하냐고."

"다가올 악당들에게는 최고의 미끼야. 꼬리를 잡히지 않은 악당을 한꺼번에 검거하기에는 좋은 미끼지. ……하지만 이번에는 그 애도 그 애의 남편도 상관없어. 아클라우스의 딸 한 명만 확인해주면 돼."

"네가 가. 은거 중이라 한가하잖아. 나는 진을 해석하느라 바빠."

"내가 가면 시끄러워질 뿐이야."

"우리가 가도 시끄러울 텐데, 망령이라도 난 거야?"

마리우스 선생이 어깨를 움츠리며 한숨을 내뱉었다.

"무엇을 위한 첩자야. 보고는 받고 있잖아."

"그래서다. 적어도 가정교사를 보내주지 않겠냐고 하더군."

"아클라우스의 첩자는 마르크잖아?"

"응."

"……마르크가 보고 이외의 말을 적었다는 거야?"

림 도사가 믿을 수 없다고 말하고 싶은 듯이 푸른 눈동자를 크게 뜨고 중얼거렸다.

"게다가 가정교사? 자객을 보내라고 한 게 아니고?"

"가정교사야."

"그 아클라우스가의 딸에게?"

림 도사가 진심으로 싫다는 듯이 투덜거리면서 고개를 갸웃했다.

"마르크도 나이를 먹었다는 건가?"

마리우스 선생은 싸늘한 눈빛으로 악담을 했다.

몹시도 싫어했지만 할아버지의 간청에 두 사람은 결국 변장을 하고 아클라우스가에 가기로 한 모양이었다.

확실히 두 사람이 원래 모습으로 아클라우스가에 가면 당주의 악행은 수면 아래로 감춰졌을 거다. 그때까지 보강 수사를 벌여왔던 첩자의 노고도 물거품이 되고 만다.

무엇보다 아버지의 여동생인 고모에게 스토킹당한 괴로운 기억이, 그들에게 있는 그대로의 모습을 드러내는 것을 주저하게 만들었을 거다.

림 도사는 특징인 주은의 머리카락과 귀, 이지적인 눈빛을 감추기 위해 흔해빠진 갈색 가발을 쓰기로 한 모양이었다.

머리카락을 감추면 원래 별로 말이 없는 그는 훌륭하게 변신했다.

마리우스 선생도 특징적인 머리카락을 숨기기 위해 가발을 썼지만 그것만으로는 고모의 시선을 피할 수 없을지도 모른다며 여장을 하기로 한 모양이었다.

처음에는 금방 갔다가 금방 돌아온다고 했지만 그들은 머지않아 정기적으로 성을 비웠다.

그들이 성을 비우고 어디에 가는지 궁금해서 행선지를 물은 적이 있다.

하지만 그들은 적당히 얼버무렸고, 쫓아가도 따돌려졌다. 그들에게 인정받고 싶은 일념으로 가끔 성에서 모습을 감춘 그들의 뒤를 밟았다.

놓치고 성으로 돌아오는 날이 계속됐다.

그럼에도 두 엘프를 미행하는 일은 즐거웠다. 이미 오락이라고 해도 좋았다.

그리고 그들의 행선지에서 사촌 누이를 발견했다.

사촌 누이의 눈앞에는 핏발이 선 눈으로 사촌 누이를 노려보는 여자가 있었다.

……그 무렵, 아클라우스 당주가 속여서 사들인 귀족 아가씨가 창부로 팔리고 있던 사실을, 나는 알지 못했다.

아클라우스의 당주 부부를 저주하고 그들에게 고통을 줄 수 있는 천재일우의 기회라며 여자는 사촌 누이에게 나이프를 휘둘렀다. 귀기 어린 모습은 귀족 영애의 우아함과는 동떨어진 것이었다.

내가 공포로 얼어붙어 쫓아온 호위 기사에게 보호받았을 때, 사촌 누이는 지켜줄 사람도 없는 무방비한 모습으로 지그시 여자의 눈을 보고 있었다.

"널 죽이면 후작 부부도 슬퍼하겠지. 나를 이렇게 진흙탕에 빠뜨린 후작이 증오스러워. 그 이상으로 이런 꼴을 당할 줄 알면서 나를 후작에게 팔아넘긴 아버지와 어머니가 증오스러워!"

"……부모님이 한 일을 감쌀 마음은 없어요. 다만 나를 해한다고 해서 그 두 사람은 후회 따위 하지 않아요. 그렇게까지 그들이 밉다면 차라리 증언을 해주세요. 절대로 당신의 이름을 밝히지 않을게요. 내 부모가 얼마나 악랄하고 얼마나 뻔뻔한 자들인지 증언해 주세요."

……사촌 누이는 똑바로 얼굴을 들고 자신을 해하려는 여자를 조용히 응시한 채 설득시켰다.

당해낼 수 없다고 생각했다. 칼을 겁내지도 않고 담담히 사실을 인정하고, 규탄하는 여자를 설득하는 그 담력에. 과연 똑같은 입장에서 똑같은 일을 할 수 있을까.

가슴에 떠오른 당해낼 수 없다는 말을 부정하고 싶어서, 지고 싶지 않아서 성으로 돌아가 그동안 손 놓고 있던 공부에 힘쓰기로 했다.

하지만 아무리 몸을 단련하고 지식을 쌓아도 부족했다.

자신을 갈고닦아도 저만치 앞에 늠름하게 서 있는 뒷모습이 보였다.

단 3년의 차이가 매워지지 않았다.

3년이 지난다고 해서 그렇게 행동할 수 있을지를 수없이 자문했다.

발버둥 치듯 가녀린 뒷모습을 쫓았다.

림 도사와 마리우스 선생에게는 더더욱 약점을 보이고 싶지 않았다.

비교당하는 건 사양이었다.

"흠, 전하. 최근 열심히 공부하는 모습이 보기 좋군요. 마력 순환의 절차를 다시 한 번 복습하죠."

"부탁해."

"흠, 그럼 나는 마리우스 수업 후에 공격 마법을 해설하지. 발동하지 못해도 여러 개의 마법진을 지니고 있으면 몸을 지킬 수 있어. 전하는 방어 특화형이라 필요 없다고 할지도 모르지만 배워서 손해 볼 건 없어."

"……림. 진 해설이 끝나면 이 진의 구조식을 적어주지 않겠어? 호부에 도입하고 싶어."

"……처음부터 그럴 생각으로 짜본 거야."

수업의 수준이 높아져가는 한편 때때로 두 엘프가 얼굴을 마주보고 대화에 열중할 때를 제외하면 평소와 다름없는 일상이다.

그러나 이전보다 열심히 수업을 듣게 되었다.

"허락된다면 전하와 만나게 해주고 싶어."

"허락만 된다면 말이지. 현재로서는 도저히 무리야."

"뭐, 그렇지. 아무튼 우리도 귀찮은 일에 발을 들인 건가."

마리우스 선생이 어깨를 휙 움츠리며 말했다.

"관둘 거면 지금이 때야. 마리우스."

"바보 같은 소리. 그냥 해본 말이야."

"후. 불평하고 싶은 마음도 모르는 건 아니야. 그렇지? 마리아 선생."

"큭!"

"……나한테 말할 기회를 준다면, 둘 다 똑같이 나빠요. 『기림』

선생님? 사촌 누이는 현자님이라는 걸 모르잖아요?"

씨익 웃으며 말하자 두 사람 모두 벌레 씹은 표정으로 나를 봤다.

"……전하는 조금 더 혹독한 수업을 원하는 것 같군."

"그런 것 같군."

그 두 사람과 만담 같은 대화를 할 수 있게 되었을 무렵, 학생이 한 명 더 늘었다며 마리우스 의사가 웃었다.

그 아클라우스가에 아이가 들어왔다는 소문은 금세 귀에 들어왔다.

왕족 특화의 신체적 특징을 지닌 아이라고 했다. 그러나 고모가 첩의 소생이라며 멸시하는 모양이었다.

"고모는 그렇다 치고, 사촌 누이는요?"

"늘 곁에 있으면서 귀여워해줘."

"둘이서 얼굴을 맞대고 뭘 하고 있으면 사랑스러워서 저절로 웃음이 나."

사촌 누이는 별안간 생긴 남동생을 귀찮게 여기지도 않고 물심양면 보살펴주는 듯했다. 그 귀여워하는 모습은 명백하고, 동생의 모습을 눈으로 좇으며 어쩔 줄 몰라 한다고 했다.

본인은 숨기려는 것 같지만 숨기지 못하는 모습이 빤히 보인다며 림 도사가 웃었다.

"귀요미라는 건 뭘 뜻하는 단어일까?"

"가호를 비는 단어일지도…… 엘이 자주 중얼거려."

"그럼 하아하아랑 할짝할짝은?"

"격려의 말 아닌가? 아란 하아하아, 아란 할짝할짝 같은 말을 자주 하잖아? 엘이 사용하는 독특한 표현은 해독이 어려워."

"동감이야."

그러나 선생님들이 점점 여유를 잃어가기 시작했다. 남매 사이를 질투하는 모습을 엿볼 수 있어서 재미있다고는 생각하지 않는다.

나라의 중요 인물인 두 엘프가 남매에게 휘둘리다니 중대한 사태였다. 남동생을 질투한다는 사실을 깨닫지 못한 림 도사와 사촌 누이를 남동생에게 완전히 빼앗기고 풀이 죽은 마리우스 선생의 모습이 재미있다는 생각은 요만큼도 들지 않는다.

"선생님들, 변장은 대체 언제 그만두는 거예요?"

물었더니 둘 다 고개를 떨구었다.

림 도사도 마리우스 선생도 당초 고모님을 피하기 위해 했던 변장을 후회하는 것 같았다. 넌지시 내가 나서주길 바라는 눈치였지만 모르는 척했다.

……이렇게 재밌는 걸 말릴 리 없잖아!

그러나 시간은 흘렀다.

아이는 어른이 되어갔다. 사촌 누이가 서서히 피어나는 장미처럼 향기를 풍기기 시작했다. 선생님들의 눈빛에 삼엄함이 감돌았다.

아클라우스가의 상놈 눈에 띄는 것도 시간문제였다.

림 도사가 방어의 마법진과 강제 수면의 마법진을 그리고, 색욕 제거를 위해 동분서주했다.

마리우스 선생은 최음 해독제를 처방해 사촌 누이에게 쥐어주는 동시에, 매일 밤 상놈이 마실 술에 수면제나 설사약을 대량으로 섞어 넣었다. 더욱이 공을 들여 여러 개의 마법진이 그려진 호부를 항상 몸에 지니고 다니라고 사촌 누이에게 일렀다고 했다.

림 도사가 마계 식물들 중에서 남성의 성충동에 반응하는 식물을 선별, 개량을 거듭해 실용화를 위해 길들이는 한편, 마리우스 선생은 예측하지 못한 사태가 와도 해독제를 만들 수 있도록 사촌 누이를 숲으로 데리고 갔다.

첩자도 최대한 사촌 누이의 곁을 떠나지 않는 것 같았다.

사촌 누이의 존엄은 아슬아슬하게 지켜졌다.

그녀가 모르는 곳에서 그녀를 둘러싼 흥정이 맹렬히 이뤄졌다.

아클라우스가에 제시된 대가는 영지, 금광맥, 보석 광맥, 군부에서의 발언권이었다.

돈을 미끼로 사촌 누이를 자기 것으로 삼으려 일을 꾸미는 파렴치한 남자들은 많았다.

상놈은 가장 비싼 값을 부른 남자에게 사촌 누이를 팔아넘길 생각인 듯했지만 물론 실력 행사에 자진해서 나서는 상놈도 있었다.

어느 날, 공무 차 방문한 헌병대 대기실에서 소란스러운 사건이 발생했다. 정보가 잇따라 들어왔다.

다섯 살 어린 배다른 남동생의 손을 당기면서 헌병대를 유도하듯 시가지를 달리는 사촌 누이를 발견했다.

납치된 사람들을 구하기 위해서 스스로 인신매매 조직에 찾아간다는 이야기는 들었지만 설마 이런 변화가까지 접수했을 줄은 몰랐다.

"⋯⋯저 녀석, 뭘 하는 거야."

사촌 누이와 마찬가지로 남동생도 상놈의 욕정을 부추기는 매력을 가진 소년인 듯했다. 남동생이 상놈에게 납치당한 것을 사촌 누이가 추격해서 구출해낸 모양이었다.

나로서는 남동생보다는 사촌 누이가 위험하다고 생각했지만 세상의 상놈들은 취미도 다양하구나, 라는 생각에 아득한 눈빛이 되었다.

사촌 누이에게 배다른 남동생은 지켜야 할 존재인 모양이었다. 위험에도 아랑곳없이 먼저 나서서 남동생의 방패가 되니 간담이 서늘했다.

이번처럼 시작이 어떻든 남동생을 감싸며 시가지를 질주하는 과잉보호적인 면면이 알려지면 어떤 보복이 기다리고 있을지 모른데 말이다.

실제로 림 도사와 마리우스 선생이 폭발하고, 수습책인 마르크까지 위험한 눈으로 후작 부부를 보는 듯했다. 어디를 어떻게 베면 길게 괴로워하는지, 고통을 지속시키는 것이 가능한지를 셋이서 온갖 지혜를 모아 검토하는 모습을 보고, 진심으로 내가 표적이 아니라서 다행이라고 생각했다.

동시에 그것은 그들을 적으로 돌린 아클라우스가의 몰락의 소리가 들려오는 계기였다.

검거되는 불법 노예상과 풀려나는 사람들의 숫자가 늘어갔다.

사촌 누이는 우연히 노예 매매 현장을 마주쳤다고 했지만, 정보원은 아클라우스가의 내부 자료가 분명했다. 부모님의 눈을 피해 자료를 읽고 그걸 바탕으로 활동했을 거다.

처음에는 마지못해 돕는 분위기였던 문지기가 최근에는 사촌 누이의 지시에 따라 움직였다. 검거율이 올랐다.

가벼운 말을 하면서 세 번째 모퉁이를 향해 달려가는 사촌 누이의 뒷모습을 지켜봤다.

당당히 도울 수 있는 저 남자가 부러웠다.

슬슬 저 남자를 사촌 누이에게서 떨어뜨려 놓을까.

사촌 누이를 보는 눈빛이 진지해져 있었다. 늘 그랬던 것처럼 주변 여자들과 즐기면 좋을 것을.

그러고 보니 장군이 평소 후계자가 없는 것을 한탄했었으니 마침 잘됐다.

완전히 맡겨버리자.

표면적으로는 헌병대의 활약으로 불법 노예 매매가 적발되는 것으로 되어 있지만 그 뒤에는 사촌 누이가 있었다.

아클라우스가를 향한 포위망은 서서히 좁혀져갔다.

사촌 누이가 착실히 확보한 증거도 머지않아 결실을 맺을 거다.

남은 것은 아클라우스가에서 사촌 누이를 분리하는 일뿐이다. 아무 말도 하지 않지만 할아버지나 아버지, 어머니도 마찬가지다. 모두들 사촌 누이의 미래를 걱정했다.

모두들 어떻게든 그녀를 구하고 싶어 했다.

그런 와중에 아클라우스가의 양자 아란 그레이가 마법 소양을 꽃피웠다는 보고가 들어왔다.

"가일. 아클라우스가의 당주 엘로즈를 만나고 와라. 아란 그레이를 보낼 건지 내쫓을 건지. 엘로즈의 각오를 파악하고 와."

왕성에서 아버지인 폐하께 그 말을 듣고 몸이 조여드는 것을 느꼈다.

사촌 누이. 부디 아란을 놓아준다고 말해줘.

그러면 뒤에서 일을 꾸미지 않고 당당히 너에게 손을 내밀 수 있어.

하늘을 향해 환히 웃으면서 이 사람이 내 사촌 누이라고 선언할 수 있어.

# 어느 공작가의 자제는 분투한다

엘로즈를 처음 만난 건 학원의 낡은 교회였다. 그때는 설마 눈앞에 있는 수녀가 그 아클라우스의 첫째 딸일 줄은 몰랐다.

사람을 기다리던 내 앞에 나타난 수녀는 먹색 옷을 입고 있어도 어설픈 귀족 영애보다 당찬 모습으로 가까이 다가오고 싶어 하는 듯했다. 비유하자면 숭고한 사명을 지닌 성녀 같았다.

……입을 열었을 때 그런 숭고한 존재가 아니라 살아 있는 인간이라는 것을 뼈저리게 느꼈지만.

처음에는 발끈했다. 뭣도 모르고 내 영역을 침범한 무신경함에 화가 났다.

그러나 이야기를 하다가 그녀가 나의 누님을 걱정하고 있을 뿐이라는 것을 알았다.

그녀가 한 말이 우리 가족의 생각과 같아서였다.

……그 무렵 누님이 나쁜 남자에게 걸려들어 집안이 조금 어수선했다.

아버지는 역정을 냈고 어머니는 흐느껴 우셨다. 그래도 누님은 남자를 믿고 싶었을 거다. 누님은 강경한 태도로 우리 말을 듣지 않고 방에 틀어박혔다.

제대로 식사조차 하지 않는 누님이 걱정돼 들여다보자 누님은 침대 위에서 울고 있었다.

"누님."

조용히 부르자 누님이 얼굴을 들어 나를 봤다.

"나윌은 알지? 그분은 절대로 아버지가 생각하는 그런 사람이 아니야. 다정한 사람이야."

누님은 남자가 얼마나 다정한 사람인지를 설명하기 시작했다.

"불우한 아이들에 대한 원조를 아끼지 않고 가끔은 지원해서…… 훌륭한 뜻을 가지신 분이야."

지방의 작은 고아원에 가서 엉성한 수제 물건도 구매한다고, 누님은 호소했다.

실제로 누님이 쥐고 있는 손수건은 남자가 선물한 거겠지. 공작 영애에게는 다소 어울리지 않는 물건이다.

사랑하는 누님의 푸른 눈동자에서 보석 같은 눈물이 쏟아졌다.

남자를 생각하며 우는 누님의 모습에 애처로움과 동시에 그보다 더한 분노를 느꼈다.

사실 내 의견도 아버지와 같았다.

오기라도 부리듯 남자에게 심취한 누님에게 살짝 위기감을 느꼈다. 그런 속마음을 숨기고 나는 누님에게 끄덕여 보였다.

누님은 안심한 듯 미소 지었지만 내 머릿속에 울리는 경종은 그치지 않았다.

누님은 공작 영애에게 걸맞은 교육을 받았다. 남자의 뻔한 감언이설에 넘어갈 만큼 쉬운 사람이 아니었다.

"누님, 누님은 울어도 아름답지만 웃는 얼굴이 가장 아름다워요."

"나윌, 혹시 그분을 학원에서 만나면 연락해달라고 전해줄래?"

"……네. 어떻게든 연락을 취해 볼게요."

"나윌, 부탁할게!"

누님이 연모하는 만큼은 남자를 신용할 수 없었다.

큰소리치는 것에 비해서는 실적이 따라주지 않는 남자였다. 꿈을 말하고 꿈에 산다면 그에 따른 책임과 의무를 다해야 하는데도 실적도 헤쳐 나갈 각오도 부족했다.

하지만 꿈을 말하는 남자를 꿈꾼 건지 누님은 남자의 편은 자기뿐이라며 완고했다.

완전히 세뇌당했거나 매료의 마법에 걸린 것 같다.

그래서 누님 앞에서는 특히 냉정을 유지한 채 나는 누나의 편이라고 말해 안심시켰다.

그렇게라도 하지 않으면 누님은 몰래 따라다니는 호위마저 따돌리고 저택을 빠져나갈 것이다. 작정한 누님을 이길 상대는 그리 많지 않았다.

그렇게 되면 공작 영애 아이라의 남편이 에릭 달레스다. 웃을 수 없는 상황이다.

돌이킬 수 없는 사태에 빠지는 건 사양이었다.

그런 남자를 매형으로 인정할 수는 없었다.

공작가의 정보망은 멋으로 있는 게 아니다. 가족, 특히 어머니와 누나에게 약한 아버지가 완고하게 반대하니 그에 상응하는 정보가 들어왔을 거라고 짐작하고 아버지께 물어보니 예상대로 남자의 배후가 수상하다는 정보가 들어왔다고 했다.

"역시. 딕섬가도 얕보인 모양이네요. 배후 세력을 밝혀내지 않을 거라고 생각하는 모양이니까요."

"여왕을 붙잡힌 상태니까. 녀석의 자신감도 이해가 안 되는 건 아니야."

"어째서 누님은 이런 수상한 남자에게 끌린 건지. 아버지, 매료의 기술을 의심하진 않으세요?"

"아이라를 깨우치기 위해서 이미 해독, 해주의 마법진을 시도했다. 하지만 여전히 말을 듣지 않아."

"……하지만 그 완고함은 어떤 기술이 작용한 거라고 생각해요. 그렇지 않다면 누님 정도나 되는 여성이 어째서 그런 남자에게 얽매이겠어요."

"림 도사가 새로운 매료의 기술일지도 모른다고 했다. 해석을 위해서라도 아이라의 소지품 중에 새로운 것을 보내달라고 했어. 하지만 정말 어떻게 마음을 끈 건지."

"……최음제라도 배게 한 건지, 소지품에 매료의 술식을 짜 넣은 건지. 골치 아프군."

아버지와 다음 방법을 고민하고 있는데 어머니가 손뼉을 짝, 쳤다.

"좋은 게 있어! 부적이야!"

어머니의 즉흥적인 발언은 늘 너무나 갑작스러웠다. 그 속도를 따라갈 수 있는 건 어머니의 사고 회로를 충분히 파악하고 있는 아버지뿐이다.

"……요즘 나돌고 있는 그 부적 말인가."

"다도회에서도 소문이 자자해요. 무척 강력한 부적이라 구입한 사람의 소원을 이루어줘요! 쟈스라크 가문의 부인이 아트페 수도원에서 살 수 있다고 알려줬어요!"

"……바이올렛. 지푸라기라도 잡고 싶은 심정은 나도 같아. 하지만 미신에 관여할 여유는 없소. 아이라는 분명 약이나 술식에 조종당하는 게 틀림없으니 지금은 그렇게 이해를 해줘요."

"하지만 찾아보면 아이라에게 맞는 부적이 있을지도 몰라요!"

"……**교통안전** 부적은 나도 꼭 갖고 싶소. 하지만 지금은 아이라가 먼저야. 에릭 달레스가 악의를 가지고 접근했다는 움직일 수 없는 증거를 잡아야 하니까."

달달한 분위기에 속이 쓰렸지만 이게 일상이니 어쩔 수 없다.

부모님의 금슬이 좋아서 눈 둘 곳이 마땅치 않을 뿐이다.

"남은 건 이쪽에서 준비한 보고서를 누님이 읽어주기를 바라는 것뿐이에요."

"인내심을 가지고 깨우치는 수밖에 없나……."

그날, 머리 한구석에 작게 기록된 부적의 정보. 그것은 사소한, 마음에 담아둘 가치도 없는 정보였다.

누님을 남겨두고 학원 기숙사로 돌아와 학원 내부에서 에릭 달레스에 관한 정보를 수집했다.

누님이 깨우치길 바라는 일념으로 에릭 달레스의 교우 관계나 학원에서의 소행과 행동을 조사했다.

에릭 달레스는 검술과 10학년이고 우수했지만 검술 실력을 믿고 노력을 게을리 하고 후배를 무시한 결과 아슬아슬하게 징용 시험에서 떨어졌다. 시험 후에 거칠게 굴던 모습은 굉장했던 모양이다.

상대가 부정을 저질렀다고 트집을 잡으며 주먹을 날리려 했다고 한다.

듣자하니 대전 상대가 우승 기원 부적을 지니고 있어서 이길 수 없었다고 트집을 잡았던 모양이다. 어린애냐.

미래를 결정짓는 시험에 부적을 지참하는 자든 얼마든지 있었다. 미래가 걸려 있으니 당연하다. 비상식적인 것은 트집을 잡으며 때리려 한 에릭 달레스 같은 남자다.

그러나 주목할 것은 에릭 달레스가 집착했다는 부적이다.

어머니가 말했던 부적도 있고, 회자되고 있는 부적의 효능을 알고 있었는지도 모른다.

"……살짝 알아볼까. 정말로 효과가 있다면 누님도 정신을 차려줄지도 몰라."

기묘하게 딱 들어맞는 시기였다. 그렇기에 더욱 알아보기로 했다.


공작부인인 어머니는 옛날부터 각지에 있는 수도원에 기부를 해 왔다.

물론 아트페도 원조를 해온 모양이었다. 그래선지 수도원에 가자 원장이 무척 정중히 맞아주었다. 어머니의 선행이 백성들에게 올바르게 전달되고 있음을 알고 기뻐졌다.

수도원은 마침 주말 미사가 열려 사람들로 북적였다.

엄숙한 미사와 그 후의 축제 같은 북적임에 놀란 나에게 원장이 다정한 눈길을 보내며 설명했다.

"……옛날에는 무척 쓸쓸한 수도원이었어요. 공작부인이 기부해 주시지 않았다면 겨울을 넘기지 못할 시기도 있었죠."

"지금 분위기로는 상상할 수 없는 얘기네요."

"네. 덕분에 무척 열성적인 수녀가 있거든요. 다양한 소품을 만들어 파는 것으로 귀부인의 기부를 기다리지 않고 일용할 양식을 얻을 수 있게 됐어요. 공자님, 미사 후에 수도녀들이 만든 소품이나 과자를 팔아요. 매상은 아트페의 겨울나기에 중요한 예산이 된답니다. 꼭 둘러봐주세요."

나이 많은 원장은 자랑스러운 듯했다. 기부를 기다리기만 하는 것이 아니라 수도원 전체가 지혜를 짜내 자립의 길을 찾은 실적 때문일 거다. 원장의 안내를 받아 미사 후에 바자회장이 된 예배당을 거닐었다.

이웃 주민이나 명백히 귀족임을 알 수 있는 옷차림의 여성들까지 물건을 손에 쥐고 살펴보고 있었다.

"이 지역을 다스리는 아크라우스가가 몰락해서 비난의 바람이 거세지지 않았을까 어머니께서 걱정하셨지만 이 분위기라면 괜찮은 것 같군요."

물론 다스린다는 것은 이름뿐인 참혹한 상황이었다는 것은 어머니에게 들었다.

고아원에 맡겨진 아이나 젊은 수도녀가 이웃나라로 팔려간 적도 있다고 했다. 저항하려 해도 힘이 약한 수도녀로서는 맞설 수 없어 공작가에 비호를 요청해왔다고.

"……모든 것은 신의 뜻이지요."

"그런데 원장님, 학원의 학생들이 이곳에서 효능이 좋은 부적을 구매한다고 들었는데요."

"학생 분들에게 인기가 있는 건 『성적 향상』이나 『학업 성취』일까요. 다른 건…… 『연애 성취』 같은 것도 인기가 있답니다. 뭐, 공자님께는 필요 없으시겠지만. 그리고 죄송하지만 만드는 사람이 한 명뿐이라 당장은 원하시는 물건을 마련해드릴 수가 없어요."

오늘은 여기 있는 물건이 다예요, 라며 미안한 듯 가리켰다.

"그렇군요. 사실은 누나에게 수상한 남자가 들러붙어서 가족 모두가 걱정하고 있어요."

"세상에, 그건 공작부인께서도 마음이 아프시겠군요. ……그래요, 뭘 권해드리면 좋을까. 로즈 수녀."

원장이 부적이 진열된 테이블 맞은편에서 작업 중인 수녀에게 말을 걸었다.

작은 몸집의 가녀린 수녀는 한창 부적을 만드는 중이었다. 앉은 채로 바느질을 이어가는 수녀가 원장의 물음에 잠시 고민했다.

"스토커 박멸이네요. 악연, 재난 방지라…… 으음…… 그럼 이 『가내 안전』은 어떨까요."

"스토……? 가내 안전은 대체 어떤 효능이 있지?"

"다들 오해하시지만 이건 단순한 부적이에요. 사람들의 마음을 지탱해줄 뿐인 물건이라 호부 정도의 효능은 없어요. 그래도 괜찮다고 말씀하시는 분들에게만 드리고 있어요. ……가내 안전이란 가족 모두의 건강과 일상생활의 평안을 비는 말이에요. 가족 한 명한 명이 서로를 생각하며 생활하면 설령 나쁜 바람이 불고 있어도 마침내는 좋은 방향으로 움직인다는 뜻을 가진 단어예요."

"……나쁜 바람이 불어도 말이네. 그러길 바라고 있어. 좋아. 미신이겠지만 지금은 지푸라기라도 잡고 싶은 상황이거든. 살게."

"바라시는 게 이루어지면 좋겠네요. 누님을 생각하는 당신의 마음이 부디 누님에게도 전해지기를. 아트페의 수녀 모두가 기도하고 있어요."

자그마한 수녀의 다정한 목소리가 유난히 마음을 흔들었다.

이때는 정말로 누님의 눈을 흐리게 한 나쁜 바람이 사라질 거라고는 생각지 않았다.

어떤 계기가 되었으면 좋겠다고 생각하면서 아트페를 뒤로했다. 그리고 누님에게 「가내 안전」 부적을 선물로 건넸다.

부적을 받은 누님이 악령을 떨쳐낸 것 같은 표정으로 중얼거렸다.

"나, 어째서 에릭 달레스 같은 남자와 사귄 걸까……."

"어?"

순간 누님의 말뜻을 이해하지 못했다. 눈을 크게 크고 누님을 바라봤다. 누님의 눈동자가 순식간에 힘을 되찾아갔다. 희미하게 흐려져 있던 푸른 눈동자가 건강하게 빛났다.

"어째서 부모님이 하시는 말씀을 듣지 않은 걸까. 어째서 에릭 달레스가 하는 말만 믿어야 한다고 생각한 걸까. 나는 얼마나 얕은 생각을 하려 한 거야. 나월, 아버지는 계시니? 어머니는? 당장 용서를 빌러 가야 해."

"누, 누님?"

누님의 변화에 놀란 나를 곁눈질하며, 누님의 시녀가 기쁜 듯이 눈을 반짝이며 앞으로 나왔다.

"아가씨, 주제 넘는 말을 용서하세요. 공작님께 뵙고 싶다는 청을 넣으러 갈까요?"

"응, 부탁해."

"네, 아가씨!"

휙, 뒤돌아 달려가는 시녀의 모습에 또 한 번 놀랐다.

공작가를 섬기는 시종 시녀들은 세련된 동작을 주입받은 자들뿐이었다. 그런데도 모두가 기쁜 듯이 밝은 얼굴로 예의에 어긋난 행동을 한 시녀를 배웅했다.

……누님을 걱정했던 건 우리 가족뿐만이 아니었던 것이다.

공작가를 섬기는 자들 모두가 누님을 걱정하며 뭔가 할 수 있는 일이 없을까 하고 마음을 쓰고 있었던 거다.

실제로 내 뒤에 서 있는 시종장도 웃고 있었다.

"그럼 미리 알림도 넣었으니 아가씨, 출발하실까요."

"그래. 가요. 나월은 어떻게 할래?"

"저는 조금 뒤에 갈게요. 어머니가 펄쩍 뛰며 기뻐하실 테고 아버지의 눈물 같은 건 보고 싶지 않으니까요."

어깨를 쓱 움츠려 보이자 누님이 부끄러운 듯 미소를 지어 보였다.

"미안해. 나윌. 모두에게도 걱정을 끼쳤어. 이번 건은 반드시 보상할게. 그럼, 가요."

의연히 얼굴을 들고 걸어가는 누님을 배웅했다.

그 당당한 모습을 보고, 이제 괜찮다며 가슴을 쓸어내렸다.

—그리고 누님의 방에 떨어진 손수건을 발견했다. 조금 전까지 누님이 쥐고 있던, 그 남자가 선물한 손수건이다. 나는 시종장에게 명령해 가져오게 한 천으로 손수건을 감쌌다.

"직접 만지면 안 돼. 약이 묻어 있거나 술식이 들어가 있을지 몰라. 이대로 림 도사님의 연구실에 전달해줘."

지시를 부탁하면서 앞으로 어떻게 에릭 달레스를 몰아넣을지를 생각했다.

딕섬 공작가를 우습게 본 대가를 치르게 해야 했다.

높은 콧대를 꺾어놓고 우리 누님을 가지고 논 죄를 깨닫게 해줄까.

"……그렇지 학원 교회에서 만나자고 하는 게 좋겠어. 누님과 자주 밀회를 했던 모양이니까. 상응하는 벌을 받게 해야 내 분이 풀릴 것 같거든."

뭐, 그 후 딕섬 공작가만의 문제가 아니게 되지만.


사실 이야기의 시작은 어디에나 굴러다닌다.

소년이 소녀를 만나는 순간이 바로 그렇다.

그러나 처음 만났을 때는 그 사람이 자기 안에서 어떤 위치에 서게 될지 모른다. 그래서 태연히 얼굴을 마주 보고 말다툼할 수도 있고 서로 노려보면서 욕할 수도 있다. 그렇다. 처음으로 엘로즈와 만났을 때처럼.

『잘 들어요. 누님을 위해서라도 에릭 아무개 같은 하찮은 인물과는 만나선 안 돼요!』

그날 만난 작은 수녀 때문에 태풍 같은 일상 속에 던져질 거란 사실 따위는 아직 깨닫지 못했다. 평생에 몇 번 없을 충격적인 만남을 경험하고 있다는 사실조차도 알지 못했다.


어머니와 누님 이외에 마음이 움직인 여자를 처음으로 만났다.

어머니처럼 가련하고 누님처럼 건강한 아름다운 장미꽃은 자신의 매력을 몰랐다.

자신을 한없이 과소평가하고 나라의 요직에 앉는 일 따위는 있을 수 없다고 생각했다.

자신이 얼마나 큰일을 하고 있는지도 모르는 채 그녀의 공적은 경악과 함께 받아들여졌다.

그녀가 단순한 부적이라고 말한 물건의 효능은 무시무시했다.

림 도사의 영창 마법을 튕겨내고 마리우스 선생의 독약을 말끔히 해독했다.

그뿐 아니라 이야기에 따르면 메마른 땅에 초록을 싹틔워 황폐한 토지의 지력 회복에 한 역할을 했다고 했다.

그런데도 정작 본인은 자신의 미약한 마법 소양을 방패삼아 우연이라고 잘라 말했다.

그 기묘한 마법진을 앞에 두고도 잘도 그런 말을 아무렇지 않게 했다고 탄식했다.

그런 그녀의 됨됨이 때문인지 원래 그녀의 편이던 큰 백부님이 그녀의 후견인 되겠다고 했다. 동시에 그녀의 됨됨이를 알아본 부모님도 누님의 은인이기도 한 그녀의 비호에 나섰다.

나라와 왕족을 지키기 위해 존재하는 딕섬 공작가가 그녀를 지키기로 결단한 거다.

조용히 눈을 감고 부모님을 움직인 작은 수녀의 모습을 떠올렸다.

씩씩한 소녀다. 어딘가 모자란 구석이 있는 것은 부정할 수 없지만.


"로즈. 너무 눈에 띄지 마. 표적이 될 수도 있으니까."

"어머, 나윌 님도 무슨 말씀을."

큰 백부님의 진찰실을 방문해, 어느새 큰 백부님의 수행비서로 일하고 있는 엘로즈를 붙잡고 그렇게 말했다.

큰 백부님의 진료 가방을 들고 뒤따르는 로즈는 먹색 옷으로 그 모습을 숨겼다고 생각하는 듯했지만 미묘하게 실패했다. 큰 마스크로 얼굴을 가린 정도로 밝히는 귀족의 눈을 속일 수 있을까.

멍한 표정으로 나를 올려다보는 먹색 옷차림을 한 작은 수녀 따위, 별실로 끌려가면 끝장이다.

이렇게 딕섬가에서 파악한 정보를 엘로즈에게 들려주는 형태로 큰 백부님에게 흘리는 사이에도 당사자인 본인은 마이동풍이다. 옆에서 듣고 있는 큰 백부님의 생글거리는 눈빛이 싸늘하게 변해가는데도 위기의식이 없다.

　충고하는 김에 말해줘야겠다고 생각했던 또 한 가지 사항을 떠올렸다.

　"……그리고 말이야, 풍작을 기원하는 농민의 소원까지 일일이 들어주지 마. 말하는 대로 하다가는 조만간 여신이 된다. 너 숭배받고 싶은 거야?"

　"나윌 님도 참! 풍작까지 부적의 영향이라고 생각하시는 건 곤란해요. 그건 모두가 노력했기 때문이에요."

　까르르 웃는 엘로즈의 반응에 아이고 맙소사, 라고 생각했다.

　"웃을 일이 아니라고 몇 번을…… 로즈. 너 뭘 만들고 있어……."

　문득 엘로즈에게 눈길을 주고 굳어버렸다.

　엘로즈는 큰 백부님의 진료실이 한가할 때 자수를 하며 시간을 보낸다고 들었지만 실제로 만드는 장면을 본 것은 오늘이 처음이었다.

　"네? 연애 성취 부적이에요. 조만간 아트페에서 바자회가 있거든요. 최근에는 순산 기원이나 가내 안전만 만들어서 이것도 몇 개 만들려고요."

　"몰수!"

　"아! 왜, 왜요? 돌려주세요. 나윌 님! 마, 마리우스 선생님, 나윌 님이 너무해요!"

무심코 그녀가 만들던 것을 빼앗아 머리 위로 높이 쳐들었다.

돌려받으려고 폴짝 폴짝 뛰는 엘로즈를 요리조리 피했다.

황급히 큰 백부님에게 도움을 요청한 엘로즈는 귀여울 뿐 잘못이 없다. 잘못이 없지만 이건 안 된다.

이 녀석과 마찬가지로 밖으로 드러내서는 안 되는 것이다.

"왜 그래. 나월답지 않게 심술을 다 부리고."

"이건 누님이 선물받은 그『손수건』이에요."

넘겨줄쏘냐 하며 엘로즈가 뛰는 방향을 간파하면서 빠르게 말했더니 큰 백부님이 딱 굳어지는 순간을 보고 말았다.

큰 백부님에게도 이것은 머리 아픈 사실이겠지.

"이 멍청이를 설득해주세요."

"어머! 그렇게 말씀하시는 쪽이 멍청이예요. 얼른 돌려주세요!"

"……아, 미안. 살짝 멍해졌어. 그래, 로즈. 나월 말대로 이건 당분간 출하 금지다."

"아, 아아!"

"림에게 연락해야겠군. 구도에 관해서라면 나도 관심이 있으니까『연애 성취』부적은 왕성에서 관리하면서 필요하다고 생각되는 사람에게만 폐하께서 하사하시도록 절차를 밟지. 그러니 앞으로는 마음대로 파는 건 안 돼."

"그, 그런……."

큰 백부님의 말에 눈앞의 엘로즈가 인상을 썼다. 그 놀란 표정에 죄악감이 들려 했지만 마음을 독하게 먹고 눈썹에 힘을 줬다.

타인의 평생을 좌우할 만한 위력을 가진 위험한 물건이다. 그렇게 쉽게 만들어서 팔 물건이 아니었다.

처음 예상대로 부적 제작에 일정한 규칙을 적용시키지 않으면 이 멍청이가 너무 위험하다는 인식을 큰 백부님에게 심어줄 수 있어서 다행이라고 생각했더니—.

"……그런, 그렇게……."

"엘로즈?"

눈앞에서 엘로즈가 부르르 떨기 시작하는가 싶더니 휙 얼굴을 들고 코앞까지 다가왔다.

"그렇게 효능이 있다고 말씀하신다면 더더욱 크르트 님과 아란에게 반드시 똑같은 걸 선물하고 싶어요! 마리우스 선생님, 제발 허락해주세요."

"아…… 응. 딴 사람도 아닌 로즈의 부탁이니까. 진언해볼게."

엘로즈에게 약한 큰 백부님이 씁쓸하게 웃으며 끄덕였다.

괜찮은 거예요? 새로운 매료의 기술로 의심받은 위험물이라고요!

"다행이다……. 원래보다 다섯 배는 마음을 담아서 만들 예정이니까 꼭, 꼭 부탁드려요."

—잠깐 너. 안 그래도 위험물 확정인데 파괴력을 더 늘릴 작정이냐!

꽃이 피듯 활짝 웃는 엘로즈는 확실히 남동생 바보지만 아무리 높이 평가되는 남동생과 그 친구라 할지라도 그런 위험물을 줘도 되는 건가.

……뭐, 큰 백부님이 인정한 그들에 한해서라면 도리에 어긋나게

사용하는 일은 없겠지만.

기분을 바꿔서 큰 백부님을 향해 돌아섰다.

"……그럼 신청은 폐하께 직접 하나요? 아니면 마리우스 선생님께 하면 되나요? 저도 예약하고 싶으니까 인물 평가 심사 기준을 알려주세요."

"나월……"

너도냐, 라고 말하고 싶은 듯한 눈빛으로 나를 바라보는 백부님에게 씽긋, 웃어줬다.

아직 어린 나에게는 언제 사랑하는 사람이 나타날지조차 알 수 없다.

그러니 언젠가 만날 사랑하는 사람에게 선물할 수 있도록 지금부터 부적 신청만은 해두자.

그리고 엘로즈.

서로 사랑하는 사람을 만나지 못하면 그때는 너의 미래를 지켜주지 못할 것도 없어.

장미에는 해충이 꼬이는 법이지.

정원사를 고용할 거라면 딕섬가의 검과 방패만큼 든든한 건 없어.

게다가 너와 함께라면 무척 자극적인 매일을 보낼 수 있을 것 같은데, 어떨까.

# 어느 문지기는 분투한다

평소와 다름없는 평범한 날이었다. 문을 빠져나가는 마차의 통행증을 확인하고 짐칸에 수상한 자가 숨어 있는지, 금지품이 실려 있는지를 확인하고 서류에 서명한 뒤 통과하는 것을 지켜볼 뿐인, 늘 봐오던 풍경. 늘 해오던 일. 최근에는 살짝 시간을 들여 확인했다.

불평하는 녀석은 확인하면 곤란한 물건이라도 실려 있어? 라고 말해 입을 다물게 했다.

그것은 계속 이어질 거라고 생각했던 일상이다. 해가 뜨고 해가 질 때까지 변함없이 이어질 거라고 생각했다.

태풍 같은 소녀가 눈앞에 나타나기 전까지는.

"비알 달폰! 당신을 남자 중의 남자라고 생각하고 부탁할게. 나에게 힘을 빌려줘!"

벌컥 문을 열고 말한 소녀가, 얼어붙었다.

내 목에 팔을 두르고 내일 약속을 조르는 여자를 보고 놀란 거겠지. 여기서 이런 것은 인사 대신이지만 일단 키스를 주고받으면서 여자 너머로 여전히 얼어 있는 소녀를 봤다.

태풍 소녀는 양발로 딱 버티고 선 채 "이게 리얼충인가……."라고 중얼거렸다. 리얼충은 뭔가.

그 소녀의 뒤에는 조용히 대기 중인 남자가 있었다. 한눈에도 견실한 남자가 아닌 것을 알 수 있었다. 그 녀석이 지키는 소녀는 아름다운 외모로 보나 간소하지만 바느질이 잘된 옷으로 보나 귀족 아가씨였다. 고맙습니다. 성가신 일이다.

나는 위에서 아래를 빤히 훑으면서 어깨를 움츠렸다.

"……꼬마 아가씨가 어떻게 내 이름을 아는지는 제쳐두고. 어린이는 얼른 집으로 돌아가서 엄마 젖이나 먹고 자거라. 조금 더 크면 상대해주지. 장래도 유망해 보이고."

이렇게 살짝 천박한 말투를 쓰면 곱게 자란 귀족 아가씨는 두 번 다시 대기소에 얼씬하지 않는다.

요즘 치안이 별로 좋지 않아서 이런 꼬마 아가씨가 어슬렁거리고 돌아다니는 건 곤란했다. 바로 납치당하는 장면이 눈에 선했다.

빵집 딸 줄리아는 한 달을 수색해도 흔적조차 찾지 못했다. 채소가게 딸 베네도 여관집 딸 레티도 부모가 잠시 한눈을 파는 사이에 사라졌다.

그리고 또 약 일주일 전에 술집 딸 밀샤가 사라졌다고 떠들썩해졌었다.

네 명 모두 이 일대에서는 미인으로 유명했던 아가씨들이다. 제대로 차려입으면 웬만한 귀족 아가씨도 상대가 되지 않았다.

그리고 그녀들이 행방불명됐을 때 발견된 마차에는 문장(紋章)이 적혀 있었던 모양이다. 시외를 돌아다니는 마차에는 문장 같은 건 없다. 문장이 있는 마차란 귀족이라는 뜻이다.

귀족이 관련되어 있을지도 모른다는 것을 안 후로는 행불자 수

색도 대충하게 됐다. 대놓고 수색할 수도 없었다. 영토 내에서 나가는 짐마차의 짐칸을 전부 수색하는 정도가 고작이었다.

그것도 문지기 반장에게 과하다는 소리를 듣는다.

자포자기한 심정으로 그런 생각을 하고 있다가, 눈앞에서 "어……어린이가 아니에요!"라고 외치는 꼬마 아가씨에게로 의식을 되돌렸다.

꼬마 아가씨의 뒤에 대기 중인 남자가 "아니요, 아가씨께서는 충분이 어린이십니다."라며 빙긋 웃으며 답했다. ……달랠 마음이 없는 건가. 없는 거군.

"듣고 있어요? 비알 님! 나는 엘로즈 디아로즈 에멘탈 아클라우스라고 해요!"

"……흐응. 고귀한 분의 외동딸께서 어째서 이런 문지기가 있는 곳을 다—."

순간 숨이 멎었다. 귀가 잘못 됐나 생각했을 정도다. 수상한 귀족 대표. 악행을 보거든 아클라우스가를 의심하라는 말이 있을 정도로 악덕 귀족이었다.

눈앞의 천사로 오인할 정도의 꼬마 아가씨가 그 악명 높은 아클라우스가의 영애란 말인가.

놀란 기색을 숨기지 못하는 내 앞에서 꼬마 아가씨가 팔짱을 끼고 얼굴을 들었다.

"당신이 매일 수색을 한다고 들었어요. 영지 내를 빠져나가는 짐마차의 마룻바닥까지 뜯어서 찾는다고……. 있잖아요, 비알 님."

"……글쎄. 내가 뭘 찾고 있는지는 너하고 상관없잖아. 아니면 아클라우스라는 이름을 가진 네가 내 행동을 견제하러 온 거야?"

분명 험악한 얼굴을 하고 있었겠지. 그런 내 얼굴을 똑바로 올려다보며, 소녀는 기쁘게 웃었다.

"당신이 날 믿는 일은 천지가 뒤바뀐다 해도 일어나지 않겠죠. 자알~, 알고 있어요. ……실은 오늘은 남동생의 사회 견학을 나온 거예요."

"뭐? 사회 견학?"

이 꼬마가 무슨 말을 하는 거야. 당혹스러웠다.

"네. 아버지의 영지 경영술을 공부하려고요. 예를 들면 원활한 상거래의 비결 같은 거요. 상품 판별법이나 반입법, 상품 반출 절차, 재고 관리, 장부 기입법, 상품 관리법 같은 걸 눈으로 직접 보고 배울 생각이에요."

"꼬마들 말장난에 어울려줄 시간은 없어. 나는 지금 일하는 중이다."

검문을 중단하라는 말이라도 하려나 싶어 긴장했던 만큼 맥이 빠졌다.

어차피 꼬마였다. 내가 하는 『일』을 모르는 꽃밭 속에 사는 행복한 꼬마.

그런 소녀의 모습을 한 걸음 떨어진 곳에서 대기 중인 남자가 흐뭇한 듯 눈을 가늘게 뜨고 보고 있으니 감당이 안 됐다. 이봐, 안 말릴 거야?

"나는 엘로즈. 아클라우스가의 엘로즈라고요! 아버지가 취급하는 새로운 상품을 내 눈으로 확인하고 싶다는 게 뭐가 잘못됐어요?"

"이봐."

필사적으로 물고 늘어지는 꼬마 아가씨가 그런 말을 하기 시작했다. 아클라우스가가 새롭게 취급하는 상품이라니, 이보다 수상쩍은 것은 없다.

"나는 이봐가 아니에요. 엘로즈라는 이름이 있어요. 이대로 여기 눌러 붙어서 짐마차나 상대할지, 나 같은 귀한 집 자식이 어슬렁거리고 돌아다니는 걸 걱정해서 뒤따라올지 선택해요. 아 참. 이건 자랑인데요, 내 남동생은 천사처럼 사랑스러워요. 그쪽 같은 리얼충에게는 안 줄 거지만!"

"아니, 별로 필요 없거든."

꼬마 아가씨의 말을 이해하기 어려웠다. 설마 이 꼬맹이는 아클라우스가의 상품 거래 장소에 따라오라고 말하는 건가?

"우……우리 아란은 이 세상 사람이라고 생각할 수 없을 만큼 사랑스러운 애라고요! 나중에 탐내도 그땐 늦은 거라고요!"

……기분 탓이겠지. 뭐야, 이 브라더 콤플렉스.

"아가씨께서도 이 세상 사람 같지 않을 만큼 사랑스러우십니다."

빙긋 웃으며 단언한 대기 중인 남자의 말에 허를 찔렸는지, 꼬마 아가씨가 얼굴을 빨갛게 물들이고 부르르 떨었다.

주종 관계겠지. 두 사람의 대화를 듣고, 나는 체념하기로 했다.

이 꼬마 아가씨는 어떻게든 나를 끌어들일 작정이었다. 그렇다면 귀족의 뜻에 따르는 것이 세상의 상식이다. 하찮은 문지기에게 이의는 있을 수 없었다.

"……잠깐 기다려. 반장한테 담당 구역을 벗어난다고 말하고 올 테니까. 귀족 아가씨가 호위를 부탁했다고 하면 인정해주겠지."

─그것이 시작이었다.

있는 힘껏 허세를 부리는 아클라우스가의 아가씨와 무서운 집사 마르크와의 만남이다.

놀랍게도 아가씨가 들고 오는 정보는 나름대로 정확했다.

"이번 달 언제인지는 모르지만 하현의 달이 뜰 무렵에 이곳을 마차로 이동할 거예요."라거나.

"이 희귀한 보라색 꽃이 활짝 필 무렵에 이 집에 소녀들이 모여 있을 거예요."라거나.

"이 축제가 열리는 동안 이곳에서 불법 약물 매매 계약이 이뤄질 거예요."라거나.

미묘한 정보였지만 대략적인 장소와 시기를 특정할 수 있었던 것은 다행으로, 불법 약물 매매 현장을 잡을 수 있었고 행방이 묘연했던 소녀들 중 몇 명은 되찾을 수 있었다.

그러나 꼬마 아가씨의 가장 큰 공적이라면.

"평민 따위가 무례하다! 이 건물 소유자는 토레스 백작가다! 물러나!"

"죄송하지만 후작 영애와 영식 두 분께서 행방불명되어 신속한 수사를 하도록 엄명받았습니다. 이 이상 신분을 방패로 수사 방해를 하시면 쓸데없는 의심을 사실 텐데 그래도 괜찮으시겠습니까."

"……큭, 하, 하지만."

꼬마 아가씨 덕분에 거만한 귀족을 상대로 이런 대화가 가능해졌다.

―다만 아주 가끔 머리 아픈 일이 있다.

완고하게 저택 출입을 거부하는 남자를 어떻게 제거할지 고민하고 있는데 저택 안에서 요란한 소음이 들려왔다.

유리창이 깨지는 소리와 무언가를 두드리는 소리였다.

"무슨 일일까요. 긴급 사태인 모양이니 이쪽 병력을 빌려드리지요. 출동해."

"피, 필요 없어! 들어오지 마!"

입구를 사수하려고 가로막아 선 남자를 곁눈질하며 적은 인원이 들어갔다.

"비알 반장! 찾았습니다!"

들뜬 목소리로 보고하는 헌병들과, 최근 있었던 두통의 원인을 발견했다.

"헌병님. 이 사람, 유괴범이에요. 나와 남동생이 비싸게 팔릴 것 같다고 했어요."

"큭, 아니야! 나는 보호했던 것뿐이야!"

"아가씨……."

……아주 **가끔** 정말로 아가씨가 잡혀 있을 때가 있어서 그때는 어쩔 도리가 없다.

옅은 물빛 눈동자에 눈물을 머금은 소녀는 확실히 보호 본능을 자극했다.

"헌병니임~. 살려주세요~."

—이런 어설픈 녀석.

입꼬리가 웃고 있잖아. 잘했죠? 라는 표정으로 보지 마.

엘로즈를 만난 이후로 내 검거율은 올랐지만 동시에 위장약을 복용하는 빈도도 늘어갔다.

확실히 평민 소녀들을 찾는 것보다 귀족 자녀가 행방불명이라고 하면 귀족을 상대로도 강하게 나갈 수 있다.

평소라면 방패로 사용되는 귀족 신분이 이쪽의 대의명분…… 무기가 됐다.

평민 따위가 삼가라, 라며 고압적인 말을 들어도 찾고 있는 사람이 후작 영애와 영식이라고 하면 모두가 입을 다물었다. 당연한 반응이었다. 자기 가문보다 격이 높은 가문의 억지 주장에 반기를 들수 있는 자는 없다.

……실수로라도 아클라우스가의, 라고는 말하지 않지만.

그러다 보니 엉덩이가 무거운 동료들도 힘을 빌려주게 됐다.


매번 범인 체포에 관한 정보를 제공해오는 엘로즈는 대기소의 꽃이 됐다.

남자들뿐인 지저분한 헌병대 대기소가 매일 당번을 정해 청소할 만큼 깔끔쟁이들의 집합소로 변했을 정도였다.

엘로즈가 앉는 의자는 문지기 반장이나 헌병대 대장의 의자보다

고급품이라는 것을 아는 걸까.

그런 의자를 마련하기 위해서 헌병들끼리 푼돈을 추렴한 사실도.

그러던 어느 날 여느 날과 다름없이 아란과 나란히 대기소에 얼굴을 내민 엘로즈가 정해진 위치의 의자에 앉았다.

선물이라며 내민 바구니에 녀석들의 시선이 고정됐다. 최근 대기소 사람들은 모두 엘로즈에게 길들여져 있었다.

"……아트페 수도원에 큰 밤나무가 있어요. 밤나무 열매는 맛이 아려서 벌레밖에 안 먹는다고 생각하지만 난로 재를 섞은 물에 삶아서 강에 일주일간 놔두면 맛있게 먹을 수 있다고 마리아 선생님이 알려주셨어요. 간식으로 어떠세요?"

"아, 이거 밤나무 열매로 만든 쿠키……?"

……순간 황당했는지, 과연 바로 손을 뻗는 헌병들은 없었다. 그러자 아란이 덥석 집어 먹었다.

"누님이 만든 쿠키는 정말 맛있어요. 저도 좋아해요. 나무 열매도 같이 주웠어요."

"흠. 오, 맛있잖아."

슬쩍 하나를 집어 입 안에 던져 넣고 와작와작 씹어 먹었다. 어렴풋이 쓴맛이 남아 있었지만 버터 향이 고소해서 나쁘지 않았다.

"비알 진짜야? 밤나무 열매는 다람쥐도 안 먹잖아?"

"먹어 보면 알아. 진짜 맛있어."

하나를 더 집어 입 안으로 휙 던져 넣었다.

"당연해요! 제대로 맛도 확인했어요. 동절기의 저장품이 될지도

모른다고 기림 선생님과 연구 중이에요."

그래? 하며 쭈뼛쭈뼛 쿠키를 입으로 가져간 헌병들의 험악한 얼굴이 미소로 변했다.

그 후에는 이미 경쟁하듯 바구니를 뒤지는 남자들의 모습이 펼쳐질 뿐이었다.

알아봤더니 무척 영향이 풍부한 열매였다며 기뻐하는 엘로즈에게 밤나무 열매에 관한 세간의 일반 상식을 설명하는 것은 관뒀다. 확실히 맛있었고 먹고 나면 속도 든든했다. 게다가 밤나무 열매는 온 동네 어디에나 굴러다녔고, 새도 먹지 않는 성가신 열매였다.

"……저기, 고아원 관계자에게 가르쳐주는 게 어때? 밤나무 열매를 먹을 수 있게 되면 상당히 도움이 될 녀석들이 있어."

"오오, 그래."

"근데 아가씨, 진짜 이 정도로 맛있으면 팔 수도 있을 것 같은데?"

"어떨까요. 밤나무 열매 쿠키. 할아범, 팔릴까?"

"아가씨가 직접 만들었다고 하면 틀림없이 다 팔리겠지요."

'아, 확실히.'

헌병대 대기소에 있는 남자들의 의견이 일치했다.

"……바자회라. 다음에는 어떤 물건을 내놓을 건데?"

"글쎄요. 『가내 안전』과 『교통 안전』일까요. 다른 건 『연애 성취』나 『장사 번성』일까요. 할아범, 아란, 또 뭐가 좋을까?"

소녀는 왕도에서 아클라우스가와 관련된 악행을 폭로하기 위해 동분서주하는 한편 아클라우스가의 영지인 아트페로 가서 위문 행사를 했다.

근교에 위치한 수도원에서 간단한 읽기 쓰기를 가르치거나 아이들도 따라할 수 있는 과자 만드는 법을 생각해내 보급시키는 모양이었다.

"건강 제일도 부탁해."

무심코 위장 주위를 어루만지면서 그렇게 말했더니 엘로즈가 눈을 동그랗게 뜨고 나를 봤다.

"어떻게 된 거죠? 리얼충이면서 신경성 위염이라니. 이게 리얼충이 리얼충인 이유군요."

"그러니까 리얼충이 무슨 뜻인데? 내 이름은 비알이라고."

그런 대화를 하고 있는데 대기소 문이 쾅 열렸다. 아아, 전에도 있었지 이런 거. 살며시 위 주위를 붙잡았다.

들어온 것은—.

"비아알! 일 끝났어?"

"오늘은 마레네 언니가 첫선을 보이는 날이라구. 꽃을 선물한다는 약속을 잊은 거야~?"

"아? 내가 잊을 리 없잖아. 레네디도 샬룸도 시랄도 첫선을 보이는 날에는 꽃을 선물했잖아? 그러니까 미샤도 라우라도 걱정하지 마."

"아아~ 그러니까 비알을 좋아한다니까~."

"오오, 어이."

"마레네 언니가 기다리고 있으니까 빨리 가요."

미샤와 라우라는 유곽의 신입으로 빚 노예다. 내 양쪽에서 아양을 부리면서 팔짱을 끼더니, 흥, 이라는 듯이 엘로즈를 똑바로 쳐다봤다.

엘로즈는 웃는 얼굴로 얼어 있었다.

할아범이라고 불리는 남자의 낌새가 날카로움을 더하고 소년 아란의 미소가 검게 얼어붙었다.

"호. 아가씨께서 신뢰하시기에 충분한 남자라고 생각했습니다만……, 아래쪽이 느슨한 건 논외군요."

"흐응, 비알 씨는 인기가 많네요."

"어머, 아란. 비알 님은 아직 진실한 사랑에 눈뜨지 않은 것뿐이야. 그러니 리얼충인 건 어쩔 수 없어. 핑크색 머리카락이 나타내듯이, 비알 님은 복숭앗빛 대원이니까 에로스 담당은 정해진 거야!"

"잠깐, 내 머리카락은 붉은색……."

"후후후. 누님? 다음 범인 체포 때는 반드시 저도 따라갈게요."

"철저히 지켜야겠군요. 짐승으로부터."

소년 아란이 웃지 않는 눈으로 바라보고, 할아범이라는 남자는 그렇게 못 박았다.

내 팔을 붙잡고 아양을 떠는 미샤와 라우라는 해맑게 웃었다.


……그 후로도 엘로즈의 신뢰에 보답하기 위해 온 마을을 뛰어다녔다. 엘로즈의 생각을 이해하고 엘로즈가 가리킨 곳에 1초라도 빨리 도착했다. 대부분 할아범으로 불리는 마르크와 아란이 함께 했다.

마르크는 무척 예민하고 자비 없는 전투법을 구사했다. 아란도 얼굴에 어울리지 않게 빈틈을 찌르는 데 능했다.

그 마르크가 진지한 얼굴로 말했던 적이 있다.

"복숭앗빛 대원님은 마법 회로를 좀 더 의식하시는 게 좋습니다."

나에게 타고난 불 마법 특성이 있다는 것은 알았지만 손끝에 불꽃을 켤 수 있는 정도이고 마법 회로 같은 건 의식해본 적도 없었다.

"나는 복숭앗빛 대원이 아닙니다."

퉁명스럽게 말하자, 옆에서 상대의 다음 동작을 살피고 있던 아란이 "그럼 에로스 대원." 하고 작게 중얼거렸다.

"하하하. 아뇨, 농담을 빼고라도 아까운 전투법을 가지고 계셔서 조언을 해주고 싶었습니다. 그래도 되겠습니까? 검을 내 팔의 연장이라고 생각하는 겁니다. 손끝에 불꽃을 켤 수가 있지요? 손끝을 칼끝까지라고 생각해보세요. ……자."

"불가능해요. 그런 귀족 같은 전투법은."

"포기하면 거기서 시합 종료. 높으신 선생님께서 누님에게 그렇게 말씀해주셨대요. 당신은 자신의 가능성을 스스로 잘라버리는 거예요? 더 이상 누님을 실망시키지 마세요."

"나는."

……갇혀 있는 여성들과 소년 소녀들을 구출하고 감사 인사를 받을 때마다 자랑스러워서 좀 더 강해지고 싶다고 빌었다.

하지만 사실은 싸워서 그들을 구출해오면 엘로즈가 빛나는 미소로 맞이해주기 때문이다.

그 반면 헌병들 중에 한 명이라도 다친 사람이 있으면 얼굴이 어두워졌다. 그런 얼굴을 하게 하고 싶지 않아서 검을 연습해 기량을 갈고닦았다.

대기소 문을 열어젖히고 내 이름을 지명한 그날부터 우리 평민 헌병들의 업무 의식은 극적으로 달라졌다.

귀족이 일으킨 불미스러운 일을 적당히 처리했던 반장이 강등되고, 성에서 근무하는 귀족 계급의 기사단 대장이 반장을 겸임하게 됐다.

영토 영민은 보석이라는 인식이 비로소 성에 사는 사람들에게도 전해진 것이다.

최근에는 성과를 인정해준 것인지 성에서 근무하는 기사도 응원을 하러 찾아왔다.

그리고 지금까지는 개인적으로 행해졌던 훈련이 집단으로 행해지는 통제된 것으로 바뀌었다. 그러기 위해 개방된 장소는 왕성에 병설된 투기장이다.

문제는 근육덩어리 영감이 집요하게 검을 들이밀며 쫓아오는 것일까.

하지만 이것도 다 엘로즈 네가 별 볼일 없는 문지기에 불과한 나를 높이 평가해준 덕분이다.

나를 믿고 신뢰해준 그 순진무구한 눈빛에 비친, 비할 데 없는 기사로서의 이상형에 가까워지고 싶다. 네 안에 존재하는 이상적인 내가 되고 싶다.

그래서 강해지고 싶다고 생각했다.

"……강해져서, 누구보다 강해지면, 내 트레이드마크는 이 붉은 머리카락이지 분홍색이 아니라는 걸 그 녀석에게 인정받겠어."

엘로즈의 눈물을 마르게 하는 사람은 앞으로도 영원히 나쁜이기를 빌었다.

# 어느 엘프는 복수한다

소원은 오직 하나.

내 여동생이 남긴 아이가 살아가기 쉽도록 이끄는 것.

인간계의 영애라면 반드시 해내야 하는 과제를 산더미처럼 쌓아 놓고 보석을 닦았다.

그 아이의 피를 더욱 훌륭히 이어받은 바이올렛은 내가 내준 과제를 흡수하며 성장했다.

이 정도면 예상보다 빨리 후계자로서 가문을 이어받을 수 있다고 기뻐했다. 그렇게 생각한 것도 잠시.

갑작스러운 1왕녀와의 혼담이 들어왔다.

"큰 백부님."

"그런 얼굴 할 것 없다, 바이올렛. 거나드가 오잖아? 약혼자를 맞이하는 것도 숙녀가 할 일이다. 한 번 더 반하게 할 작정으로 맞아주렴."

왕녀에게는 정신을 차리게 하자. 오랫동안 인간계에 머물렀던 이유는 여동생이 남긴 아이들의 앞날을 지켜보기 위해서였다.

나는 긍지 높은 엘프족의 피를 이어받은 자. 인간의 틀에 갇혀도 되는 존재가 아니다.

다행히 왕녀와의 혼담을 꺼낸 건 고위 귀족으로 폐하나 재상에게는 전혀 그럴 마음이 없었다는 사실이 밝혀져서 무사히 공작 작위 반납이 이뤄졌다.

낯가죽에 분을 잔뜩 바르고 그걸로 자신이 아름답다고 착각하는 1왕녀가 뭐라고 소리쳤지만 인간의 말이었을까. 그런 지저분한 말을 내뱉는 여자가 왕의 딸이라는 것은 한탄스러운 일이었다.

바이올렛에게 공작 작위를 양도하고 적당한 때에 윌리엄 백작가의 차남 거나드와 혼인시켜 거나드가 공작 작위를 받았다.

신랑감 선정에는 신경을 썼다. 바이올렛을 행복하게 해준다는 절대 조건하에 엄선에 엄선을 거쳤다.

무엇보다 인품이 중요했고 문관, 무관, 상인, 농민, 타국을 포함해 독신자를 모조리 조사했다. 집안은 나중 문제였지만 눈에 들어온 것이 백작가 출신에 마침 적당하게도 차남인 거나드였다. 만약 상대가 평민이나 상인이었을 때의 사전 교섭안이 이로써 필요 없어졌기에 하늘의 응답이라며 기뻐했다.

딕섬 공작가는 오랜 세월 왕과 왕비의 검이자 방패였다. 내가 작위를 중간에 대신 이을 수 있었던 것도 그 때문이다. 이것은 정통한 핏줄이 아니더라도 검과 방패가 될 수 있는 지성을 지닌 자라면 공식적으로 작위를 받을 수 있다는 증명이기도 했다.

바이올렛은 선선대 공작의 손자이자 선대 공작의 딸이었다. 그리고 작위 대리인인 동시에 후견인인 나의 가르침 아래 공작 작위를 받기에 걸맞은 숙녀로 성장했다.

거나드는 무사 가문의 명예에 걸맞게 검으로 이름이 알려진 남자였다. 그런데도 두뇌전도 가능한 전술가였다. 이만큼 검과 방패에 어울리는 남자는 없었다. 게다가 거나드는 바이올렛에게 완전히 빠져 있었다.

이로써 뒷걱정은 없어졌다고 생각했었다.

—그 여자가 거나드에게도 관심을 보인 거다.

병적일 정도로 고상한 것에 집착하는 여자였다. 바이올렛이 위험했다.

그 여자는 결국 자신만을 가여워했다. 타인의 고통은 생각하지 않고 상상하는 것조차 불가능한 속물이다.

가엾은 「자신」이 바라는 대로 원하는 바를 이루기 위해 비열하게 발버둥치는 짐승이다.

마물 같은 근성과 악랄한 눈빛에는 기억이 있었다.

그 애를 사슬로 묶고 괴롭혔던 인간들과 똑같은 썩은 눈빛이다.

바이올렛이 그 애와 같은 꼴을 당할지도 모른다고 생각하자 가만히 있을 수 없었다.

온갖 고난을 물리치고 그녀의 앞날을 물리칠 작정으로 일에 착수하려 했지만 거나드가 선수를 쳤다. 게다가 조금의 자비도 없었다.

이제 바이올렛은 내가 지켜주지 않아도 되는구나, 하고 안도감과 조금은 쓸쓸한 마음으로 눈을 감았다.

여동생이 남긴 손녀는 거나드의 훌륭한 조력자가 되겠지. 때로는 화려한 선봉이 되어 적진에 과감히 파고들어 상대를 교란하는 훌륭한 자객이다. 단지 보호받는 것에 만족하는 여자는 미래가 없다며 정보 정리와 교란술을 가르쳤다.

합이 좋았던 둘은 때때로 터무니없는 일을 저질렀다.

즉위를 앞둔 전하의 연심을 간파하고 상대인 백작 영애를 밝혀 낸 것까지는 좋았다.

그 영애를 꾸며 내 약혼자를 정하는 무도회에 참석시킨 것이다.

영리하고 지혜롭기로 소문난 전하가 영애와 춤추는 나를 잡아먹을 듯이 노려봤다.

바이올렛의 감수 아래, 들은 대로 눈앞에 있는 것이 마리아라고 상상했다. 순간 넘쳐 오른 그리움에 영애를 보고 미소 짓자 곡이 끝남과 동시에 전하가 영애의 손을 홱 낚아채 갔다.

행복한 착각에 빠져 있었기에 손을 뻗으며 애절한 눈빛으로 바라보다 현실로 돌아왔다.

마리아와 춤추던 행복한 기억은 몇 년도 더 된 일이었다.

"어리군."

남의 일이라는 듯이 참석해 그저 즐기고 있던 림이 씁쓸하게 웃으며 나에게 와인을 건넸다.

"응, 어리네."

"어쩌겠어. 인간의 생은 한순간인걸. 씨를 남기기 위해서는 배우자에 대한 상태 이상이 심할수록 확실히 대를 이을 수 있잖아?"

"……림, 인간의 연애 감정을 상태 이상으로 분류하는 건 관둬."

"그럼 뭐라고 해야 하는데?"

"잘못된 인식의 변환? 두근거림, 호흡 곤란, 체온 상승 등의 정신적, 신체적 이상을 불러일으키고 정상적인 판단력 저하와 인식 장애를 초래한다. 일종의 매료이거나 자기도취……. 오, 이렇게 분석하니 연애는 훌륭한 질환이군."

"너도 참 어지간하다고 생각한다."

최대한 한숨을 쉬면 그만이다.

"됐어. 행복한 꿈을 꿀 수 있었던 것만으로 도운 보람이 있었어."

림에게 그렇게 답하면서, 시선 끝에서 영애에게 고백하는 전하를 보고 있었다.

진지한 얼굴로 청혼하는 전하와 뺨을 물들이고 귀 기울이는 영애. 행복해 보이는 영애의 미소에 여동생의 그림자가 겹쳐졌다. 그 애도 저렇게 행복하게 웃으면서 딕섬 공작의 손을 잡았었다.

마리아. 너를 납치하고 사슬에 묶은 아클라우스가의 몰락을 이 눈으로 확인할 때까지 나는 마을로는 돌아가지 않는다.

즉위한 폐하에게 왕자가 태어나, 교사로서 성에 들어가게 됐다. 총명한 왕자는 폐하의 어린 시절을 엿보는 듯했다. 림도 즐겁게 왕자를 상대했다.

전하의 마법 소양은 방어에 특화된 모양이었다.

왕자의 세 번째 생일날 아클라우스 일족이 모조리 튕겨 날아가던 모습은 유쾌했다.

영원히 접점 따윈 없을 존재였다.

그 아클라우스가에 들어가라는 선대 왕의 말에 초조해졌다.

그 저택에 들어가는 날은 아클라우스라는 가문 명이 사라지는 날일 터인데 말이다. 그 여자의 눈에 띄면 귀찮아지니 여장을 하고 가기로 했다. 마리아와 같은 머리 색깔의 가발을 쓰고 푸른색 렌즈를 꼈다.

선대가 무슨 말을 하든 상관없었다. 림과 마찬가지로 빨리 돌아올 작정이었다.

마르크와의 접촉은 저택에 인접한 별동에서 이뤄질 터였다. 그러나 그곳에 있었던 것은 정중한 마르크가 아닌, 살가죽만 남겨놓은 것 같은 소녀였다.

희미한 금발은 손질이 되지 않았는지 윤기를 잃고 푸석푸석했다. 물빛 눈동자는 흰 얼굴 속에서 한층 크게 이쪽을 올려다보고 있었다. 색을 잃은 뺨은 아이 특유의 동글동글함이 없고 까칠한 피부가 눈에 들어왔다.

가는 손가락과 손톱 색깔, 가는 목과 허리를 보는 순간 떠오른 것은 사슬에 묶인 참혹한 꼴로 발견된 마리아의 모습이었다.

그러나 이 아이는 그 부부의 딸이었다. 상관없다고 잘라내며 가슴속의 아픔을 외면했다.

소녀는 엘로즈라고 이름을 밝히며 가정교사 선생님이냐고 물어왔다. 즉시 부정하자 실망한 표정으로, 하지만 기쁜 듯이 의자를 권했다.

"……집사는 어디에 갔니? 얘기를 하고 싶은데."

"할아범은 저녁때가 돼야 이곳에 와요."

여섯 살 소녀는 그렇게 말하고는 다기를 다뤄 정중히 차를 내려줬다.

"……소꿉놀이치고는 잘하는구나. 하지만 손님에게 차를 접대하는 건 후작 영애가 할 일이 아니야. 시녀는 뭘 하고 있니?"

"시녀는 없어요."

여자 말투로 놀리자 소녀는 곤란한 듯 눈썹 끝을 내리며 쓸쓸하게 말했다.

흰 손가락으로 찻잔을 들어 올려 붉은 입술에 붙이고 기울였다. 목구멍이 움직이는 것을 확인하고 손을 뻗었다.

"……맛있군."

"……응."

무심코 중얼거리자 소녀가 기쁜 듯이 눈을 가늘게 떴다.

"할아범이 준비한 특별 차예요. 가정교사 선생님들께 대접하라면서 내리는 법을 알려줬어요."

"우리는 가정교사가 아냐."

마르크에게 배웠군, 하고 생각하면서도 부정하자 소녀가 고개를 저었다.

"괜찮아요. 손님인걸요."

깡마른 소녀였다.

사슬에 묶인 그 애 같았다. 하지만, 아니다.

인기척이 없군, 하고 중얼거린 림에게 가볍게 맞장구를 치면서 관찰을 이어갔다.

착각이었다. 이 소녀는 증오하는 아클라우스의 핏줄이다. 그 애를 괴롭힌 그 남자의 피를 이어받았다. 내가 나와 그 애의 존엄을 걸고 복수해야만 하는 아클라우스가의 일원이다.

노려보듯 소녀를 쳐다보며 물었다.

"늘 여기서 뭘 하면서 보내니?"

"저요?"

"곁에서 돌봐주는 사람은 없어?"

"……할아범은 아버지와 어머니의 사람이에요."

"……호."

"얌전하게 있으면 부모님이 분명히 칭찬해주실 테니까 여기서 어머니를 기다려요. 책을 읽고 청소를 하고 모르는 게 있으면 할아범한테 물어보거나, 시녀나 요리사한테 물어서 배우고……"

바보 같은 외톨이. 자신이 버려졌다는 사실도 깨닫지 못하는 걸까. 시녀는커녕 경호원 한 명조차 없는데도 이상함을 알아채지 못했다.

자기들 주위에는 넘칠 만큼 많은 인원을 배치해두면서 아직 어린 딸에게 시종 한 명 붙여주지 않는 것은 후작가로서 있을 수 없는 폭거인데 말이다.

모자란 외톨이. 그런데도 부모의 사랑을 믿는 건가. 그 여자가 아이를 돌보는 일 따윈 없는 게 명백한데. 떠받들어주고 화제의 중심에 서야만 직성이 풀리는 착각녀는 아이라고는 해도 엘로즈가 타인의 시선을 빼앗아가는 게 싫을 거다.

그리고 현재 상황으로 볼 때 그 여자뿐만 아니라 아클라우스가의 당주도 딸에게 관심이 없는 것은 명백했다. 필시 그때뿐인, 얌전히 있으라는 말에 매달리는 아이에게 불쌍함마저 느꼈다.

……내가 가르쳐줄까?

자신의 상황을 정확히 판단하지 못하는 소녀에게.

부모를 그리워하는 아이에게 「현실」을 가르치는 것은 얼마나 어두운 기쁨으로 넘쳐흐르는 일인가.

소녀가 품고 있는 부모에 대한 달콤한 환상을 깨고, 온 나라가 기피하는 핏줄 밑에 태어났다는 것을 속삭이면 슬퍼할까.

소녀의 가슴에 하나하나 상처를 만들고 억지로 열어서 보여준다면 소녀는 절망할까.

"알았어. 내일이랄 것도 없이 오늘부터 내가 너의 가정교사가 될게."

"가정교사 선생님? 로즈의, 선생님?"

"그래. 나는 마리우…… 마리아야."

"마리아 선생님?"

아무것도 모르는 아이가 웃었다. 배우고 싶은 것이 많다고 웃었다. 책망하는 눈빛으로 이쪽을 보는 림은 내 생각을 알겠지. 내가 이 불쌍한 아이를 여동생과 비교해서 쇠사슬로 묶는 게 아닐까 걱정하고 있을지도 모른다.

쇠사슬로 묶어 공포로 지배해도 허무할 뿐이다. 그런 것에서 기쁨을 느끼는 건 저속한 인간뿐이다.

좀 더 근본부터, 철저히 지배하는 거다.

그리운 부모에게서 떨어져 나에게 의존하고 모든 것을 바칠 만큼 옭아맨다. 생각도 소망도 내일에 대한 희망까지 모두 나에게 바쳐버릴 만큼 몸도 마음도 지배하에 두는 거다.

'그렇지. 우선…… 건강한 육체로 만들어야지. 약한 아이를 괴롭히는 건 기분이 나빠질 뿐이니까. 그래, 다음 날 죽어 있으면 기분 나쁘잖아!'

내일 가지고 올 것을 생각하자. 뭐가 좋을까.

이 정도로 말랐으면 위가 음식을 거부할지도 모른다. 분명 위가 줄어들어 있을 테니 영양가 높은 음식을 줘서 위를 놀라게 해주자.

……하지만 위가 너무 받아들이지 않으면 괴로워하는 모습을 즐길 수 없어서 곤란하다. 가볍고 담백한 것부터 준비할까. 뭐가 좋을까.

바이올렛이 감기에 걸렸을 때 달라고 조르는 드가드 열매는 어떨까. 숲의 버터로 불리는 드가드는 맛이 진하지만 담백하고 소화도 잘된다. 마침 오늘 사가려고 했었다. 그래, 산뜻한 맛이 나는 아즈 열매도 사가려고 했었다. 돌아가는 길에 상업 지구를 돌고 가자.

샴푸와 린스도 빼놓을 수 없다. 헤어 오일과 바디 크림도 잊어서는 안 된다. 분명 이 아이는 사용해본 적 없는 향에 놀라 얼굴을 찌푸리겠지. 그때 지체 없이 뜨거운 물을 계속 머리부터 끼얹는 거다. 싫어해도 도망쳐도 모르는 척 꽉 붙잡고 벅벅 문질러 거품이 나게 하자. 울든 소리치든 상관할쏘냐. 그 뻣뻣한 머리카락이 계속 그대로면 보살피는 내 실력을 의심받지 않겠는가. 매끈해질 때까지 절대로 물러서지 않기로 지금 다짐했다.

그래. 게다가 천박한 창부가 입을 것 같은 그 질 낮은 얇은 옷차림이면 내 인덕을 의심받는다. 악덕 가문 태생에게는 어울리겠지만 다른 옷을 장만해줘야 한다. 활동성을 고려하고 촉감이 좋은 부드러운 소재가 좋겠지. 이 아이는 어머니가 선호할 화려한 색을 고를 게 뻔하지만 내 취향이 아니므로 그것은 아니다. 좀 더 이 아이에게 어울리는 색은…… 아, 아니, 튀지 않고 주위에 녹아드는 색이 좋겠지. 감색 같은 건 어떨까. 옷깃이 높이 올라오는 청초한 스타일이 그 아이에게는 잘 어울리겠지…… 아, 아니, 청소를 좋아하는 모양이니 메이드복도 되는 옷으로 주자. 그래. 메이드로 삼아서 혹사시키면 되는 거다. 몸종으로!

청소, 빨래, 바느질이 완벽하면 몰락해도 일할 곳은 있을 터…… 후작 영애가 메이드 취급을 당하는 거다. 굴욕이겠지!

하지만 눈물이 그렁한 눈으로 올려다보는 박복한 소녀를 아무 데서나 일하게 할 수는 없다. 마리아처럼 납치당해서 우리에 갇혀서…… 아, 아니, 그거야말로 바라는 바가 아닌가!

이건 숙적의 딸을 거리낌 없이 괴롭히기 위한 준비 절차다.

최대한 살찌워서 신뢰를 얻은 후에 절망을 선사하자.

"……이런 걸까."

아이가 좋아할 법한 기호품과 따뜻한 소재의 아동복, 공부용으로 구입한 그림책이 내 저택의 방 한 칸을 점령했다.

……이상하군. 어느새.

식료 창고를 들여다봐도 같은 상태다. 유난히 아이가 좋아하는 먹기 쉬운 식재가 늘어나 있었다.

뭐, 됐나, 하고 그중에서 고르고 고른 최고급품을 들고 다시 아클라우스가를 방문했다.

"······뭘, 하는 거야."

"아, 선생님."

후작 영애가 화장실 청소를 하고 있었다.

무심코 여자 말투도 날아갔다. 반쯤 뜬 눈으로 노려봤지만 이쪽을 상대할 기색도 없었다.

"할아범이 선생님이 오시는 걸 아버지나 어머니께 말하면 안 된다고 해서요. 혼자서 맞이하라고 해서. 기분 좋게 지내시려면 청소가 기본이니까요."

조금 있으면 끝난다며 방에서 쫓아냈다.

무심코 머리를 감싸 안았지만 기분을 가다듬고 주위를 둘러봤다.

소녀에게 할당된 공간은 이 방뿐이겠지. 아이가 치운 방은 공작으로서 성에 있던 나에게는 부족한 것만 눈에 들어왔다. 간소한 의자와 테이블. 장식보다는 실용성을 중시한 실내는 마치 포로의 방 같았다.

인상을 쓴 채 별동에 있는 주방으로 향했다.

예상대로 솥에는 불을 피운 흔적이 없고 요리사도 보이지 않았다.

식료 창고의 문은 열린 채고 선반에 있어야 할 저장품도 보이지 않았다. 저 아이는 도대체 뭘 먹고 사는 걸까, 라는 생각에 눈살이 찌푸려졌다.

"오. 상당히 빨리 도착하셨군요."

"마르크?"

"안 되죠. 시간을 지켜주시지 않으면 아가씨께서 곤란해지십니다."

선대의 첩자인 마르크가 스콘과 말린 과일이 들어간 머핀, 샌드위치가 담긴 은쟁반을 들고 서 있었다. 여전히 발소리를 내지 않는 녀석이다.

"하지만 고맙습니다. 눈을 피해서 온 거라 바로 돌아가야 합니다. 정말이지 제멋대로인 아가씨라 곤란합니다."

"……이게 식사인가?"

"네. 그 부부는 어쨌든 고기와 과자만 있으면 만족하는 『미식가』라, 아무래도 이런 식이 되고 맙니다."

……그래도 없는 것보단 낫겠지.

숙적의 딸이 처해 있는 상황에 어쩐지 짜증이 치밀었다.

"마르크. 저택에서 데리고 나가도 괜찮나?"

"……지금은 아직 어려서 신경도 쓰지 않습니다."

"오전 중이라면 자고 있겠지. 어떤가?"

"네. 밤새 놀고 다음 날은 오후에나 일어납니다."

"그럼 수업은 오전 중에 끝내지. 숲에도 갈 거야."

"좋을 대로 하시지요."

……그래, 최대한 살찌운 다음에 절망을 새겨주면 돼.

그때까지는 유예 기간이다.

그렇게 결심하고 앞을 향했다.

신기하게도 가슴속의 아픔은 사라져 있었다.

# 어느 엘프의 중얼거림

인간계로 건너온 이후로 얼마나 세월이 흘렀을까.

고향에는 벌써 몇 년째 돌아가지 않았다.

그만큼 자극으로 가득 찬 즐거운 시간이었다.

인간은 빨리 늙었다. 주변인들이 바뀌고 변해도 세상의 흐름이라며 조용히 관망했다.

나라가 흥하고 망하고 다시 일어섰다. 인간은 열정적이고 향락적이며 탐욕스러웠다.

땅을 빼앗고 사람을 빼앗고 식료와 자원을 놓고 쟁탈하는 잔혹함이 있는 반면 자비를 베풀고 사랑하고 서로 협력하는 면도 있었다.

역사의 틈새에서 무너지는 나라를 여러 번 봤다. 슬픔 속에서 일어나는 나라도 여러 번 봤다.

그리고 또 한 나라의 시대가 끝나고 다음 시대가 열리는 순간에 서 있었다.

고인 물과 고름을 전부 토해내고 깡그리 불태운 잔해 속에서 기어 나온 그 왕은 재미있는 남자였다. 이 남자가 죽는 모습을 지켜보기 위해서 남자와 함께 있어도 좋다고 생각할 만큼.

다시 있을 곳을 찾는 게 귀찮았던 이유도 있지만 그 나라에서 또 끝을 볼 때까지 머무르기로 했다.

다행히 엘프족을 존경하는 나라였기에 비교적 편하게 지낼 수 있었다.

마법진을 구축하는 연구도 즐거웠다.

예외는 여성이었다. 지독한 향수를 잔뜩 뿌리고 두껍게 분칠한 겉모습을 과시했다.

꼬리털을 서로 보여주면서 우열을 가리는 새들 같다.

잔뜩 칠하는 것이 인간이라는 종의 구애 행동인 것은 알았지만 독을 처바르는 추함에 눈살을 찌푸리며 거절하자 새된 목소리로 울부짖었다.

여자의 집안이 좋으면 좋을수록 더욱 성가셨다.

양가의 자녀를 홀렸다는 둥 추파를 던졌다는 둥 해서 넌더리가 났다.

양가의 자녀라는 사람은 허락도 없이 방에 들어와서 덮치는 것인가. 잠들 수 없는 잠이 계속되니 방에 돌아가는 일도 없어졌다.

여자 곁에서 시중드는 남자들도 적의를 그대로 드러냈다. 공격 마법이나 칼은 잠자코 있어도 피할 수 있지만 연구에 지장을 주는 건 용납하기 어렵다.

이쪽은 아무 짓도 하지 않았는데 아가씨를 홀렸다며 화를 내면 곤란하다. 이름도 얼굴도 모르는 여자를 무슨 수로 꼬실 수 있단 말인가.

왕은 통치자로서는 우수했다. 엘프의 지혜에 경의를 표하고 내 곁에서 시중들려고 하는 귀족 아가씨를 물리치기 위해서 움직여줬다.

내민 것은 한 장의 종이였다.

아침, 해가 뜨기 전부터 성 안의 연구 시설에서 마법진을 해석. 아침 겸 점심을 먹은 뒤 마법진 분석, 입증. 대충 차를 마시고 실험, 평가, 검토. 저녁에 간단히 샐러드를 먹고 더욱 정밀도를 높이기 위해 마법진형을 상세히 이론으로 수립해 나가는 일상을 시간대로 나타내면서 설명해준 것이다.

"그대들이 말하는 것처럼 도사가 아가씨에게 관여할 시간은 없는 거나 다름없어. 대부분의 시간을 성 안의 연구실에서 보내고 있군. 자기 방으로 돌아가는 일도 최근에는 없다고 하네. 듣자 하니 망측한 모습을 하고 도사의 침대로 숨어든 여자가 있는 모양인데, 이건 성에 근무하는 위병의 증언도 있어. 물론 도사를 곁에서 모시는 자의 증언도. 도사가 방으로 돌아갔을 때 이미 먼저 들어가서 기다리고 있었던 모양이야. 무서운 일이지."

"하, 하지만 딸은 이자와 사랑하는 사이라고!"

"연인 사이인 건 내 딸이야. 망상도 적당히 해!"

"딸은 자네가 사랑을 속삭였다고……."

"……과연. 밤중에 몰래 침소에 침입한 건 댁들의 딸이었군그래. 성의 경비병을 매수한 건가 위협한 건가."

왕좌에 앉은 왕은 질린 반응을 숨기려고도 하지 않았다.

"그대들은 딸과 깊이 대화를 나눴어야 해. 도사의 미모를 보면 연모하는 마음을 갖는 것도 어쩔 수 없지만, 성의 경비병을 매수한 건 용납할 수 없어. 매수에 응한 경비병의 이름과 소속을 말하라.

연애니 사랑이니 들떠 있을 수 있는 것도 지금뿐임을 알아두게!"

"폐하."

더 말하려는 귀족들의 앞에서 림 도사의 시종 중 한 명이 앞으로 나왔다.

"송구하오나 폐하, 진언을 허락해주십시오."

"허한다. 말하라."

"저희가 도사님을 대신해서 영애들의 면회를 거절해왔습니다. 아가씨들은 그것이 불만이었겠지요. 그러니 이렇게 움직인 게 아닌가 추측합니다. 하오나 소개장 없는 면회는 있을 수 없습니다. 그것이 가족이라고 해도 마찬가지입니다. 연구실 내부는 기밀 사항이자 마 도사에게는 중요한 직장입니다. 정에 호소하기 이전에 명확한 방문 이유를 밝히고 정식으로 면회 의뢰를 했으면 됩니다. 뭐, 도사님이 스쳐본 눈빛에서 사랑을 느꼈다는 식의 내용은 마법 연구실에 전달해도 통과될 리 없지만요. 그리고 정말 연인 사이라고 말씀하신다면 어째서 숲의 엘프이신 도사님에게 독이나 다름없는 향수나 인공물로 치장하는 것을 그만두시지 않으셨는지요. 엘프에게 인공물은 극약입니다. 진짜 연인이라면 도사님이 싫어하는 쇠 장식과 인공물을 배제하고 간소한 차림으로 와주실 수 있지 않습니까? ……저희는 도사님의 시종입니다. 도사님이 원활한 업무를 하실 수 있게 하는 것이 가장 큰 사명입니다. 거기에는 도사님의 건강 상태를 관리하는 것도 포함됩니다.

저희는 먼저 아가씨들께 숲의 엘프이신 림 도사님을 뵙기를 원하

신다면 향수와 화장을 하시지 말아달라고 말씀드렸습니다. 하지만
돌아온 것은 폭언뿐이었고 전혀 귀담아 들어주시지 않았습니다."

"과연. 도사의 업무를 방해하는 무례한 자, 혹은 마법진의 구성
식을 노리는 적국의 첩자로 인식해도 어쩔 수 없겠군. 종자의 판단
에 이의가 있는 자가 있는가?"

왕의 말에 그때까지 큰소리를 치던 귀족들이 작아졌다.

귀족은 그걸로 해결되었다.

문제는 왕족이었다.

왕의 곁을 지키는 왕비는 앞으로 나서려고 하지 않고 모든 일에
조심스러운 심지가 굳은 여성이었다.

태어난 아들은 특이한 신체 능력을 소유한 인재였다.

왕이 머리를 감싸 쥘 만큼 안타까운 것은 딸이었다.

확실히 사랑스럽다고 생각한 적은 있었다. 드레스의 주름 장식에
파묻힐 것 같은 아이였다.

재미있는 것을 좋아하고 맛있는 것을 좋아하고 칭찬받는 것을
가장 좋아하는 아이. 하지만 지나친 찬사는 타락을 불러왔다.

왕과 왕비는 교정하려고 노력했지만 부모이기 이전에 일국의 왕
과 왕비, 더욱이 나라를 다시 일으켜 세운 직후라 구태 귀족의 반
발은 컸다.

딸과 대화를 시도하려고 해도 그 딸의 비뚤어진 마음 탓에 엇갈
림을 더욱 늘어갔고 게다가 냉엄한 말에 거부 반응을 보였다. 장래
에 나라를 짊어질 기개를 가진 오빠와는 달리, 편한 방향으로 휩

쓸리기 쉬운 딸은 이 나라에 기생하는 독충인 구 귀족에게 꽉 붙잡혔다.

오냐오냐하며 떠받들기만 하는 측근. 고집을 들어주는 시녀. 짜증을 부리며 왕의 딸이라는 입장을 이용해 궁지로 몰아넣는 왕녀에, 이치와 예의를 가르치는 교사는 떨어져나갔다.

듣기 좋은 말만 듣길 원한 딸은 비료를 듬뿍 먹은 독화(毒花)처럼 주위에 나쁜 냄새를 풍기게 됐다.

비교 대상인 오빠가 너무 우수했던 거다. 그가 있으면 왕국은 무사했다. 하나뿐인 왕녀는 스페어로도 인정받지 못했다.

그러나 그것도 어쩔 수 없었다. 자질의 차이가 너무 컸다.

노력을 싫어하고 공부를 싫어했다. 아름다운 물건과 사람에게 집착하고 곁에 두고 흡족해했다. 자기보다 신분이 낮은 아름다운 시녀를 괴롭혔다.

1왕녀인 자신도 모두가 받들어 모셔야 한다고 믿었던 오만과 아욕.

왕의 자질을 의심한 적은 없지만 딸은 위험했다.

절제 없는 생활로 느슨해진 몸을 돈을 잔뜩 들인 드레스로 치장하고 달콤한 말만 속삭이는 예쁘장한 남자를 곁에 두고 여왕처럼 군림했다.

여왕이 딸을 나무랐던 그날 밤, 후궁에 불이 났다. 다행히 바로 진압됐지만 왕비는 죽었다.

모두가 의혹을 가슴에 품고 입 밖에 내지 않은 채, 국장에서 울부짖는 왕녀를 싸늘한 눈으로 지켜봤다.

왕은 딸을 교정하는 것을 포기했는지 국내에서 딸을 받아줄 집안을 찾기 시작했다. 왕녀는 타국의 왕비가 되기를 원했던 모양이지만 나라의 수치를 드러내는 일일 뿐이었다.

가장 먼저 거론된 이름이 딕섬 공작가.

국왕의 검이자 방패인 유력 공작가였다. 딕섬 공이 상대라는 것을 알고 왕녀는 기뻐하며 따랐다.

그러나 딕섬 공은 죽은 여동생의 유복자인 손녀딸이 성장할 때까지라고 공언했던 대로, 후계자에게 자리를 물려줌으로써 왕녀와의 결혼 건을 일축했다.

후계자인 여공작에게 왕녀가 시집갈 수 있을 리 만무해 혼담은 흐지부지됐다.

왕녀의 혼처가 아클라우스가로 정해기 전까지의 수 년.

그것은 악몽이라고밖에 표현할 수 없는 나날이었다.

"실례한다, 마리우스."

"진찰에 방해돼. 돌아가."

그 목소리가 들리지 않았을 리 없는데 뻔뻔하게 들어갔다.

내 이름을 부르는 비음이 섞인 간드러진 목소리는 불쾌하기 짝이 없었어. 하늘거리는 강렬한 색상의 드레스도, 살짝 다가온 것만으로도 알아맞힐 수 있는 지독한 향수 냄새도, 금속으로 장식한 머리부터 발끝까지 모든 것이 끔찍해서 견딜 수 없었다.

그게 일국의 왕녀라는 것이다. 이 무슨 악몽인가.

차라리 엘프 마을로 도망칠 생각까지 했었다.

"네가 받아줬으면 나까지 피해 입을 일은 없었다고."

"그런 분칠한 괴물을 받아주면 딕섬가는 후계 문제로 무너질 거야. 그 녀석의 손녀딸이 혼자 서는 모습을 지켜볼 때까지만 공작 자리에 있겠다는 게 약속이었으니까. 간섭은 필요 없어."

"조카딸은 잘 지내?"

"바이올렛 여공작이다. 조금씩 모양이 나고 있어. 뭐, 조만간 공작부인이 되지만."

"신랑은 윌리엄 백작가의 차남이라고 했나? 그 남자도 찍혔잖아?"

"왕녀님은 미남을 좋아하니까."

"그래, 터무니없게 병적인 수준이지."

공작 작위를 반납했는데도 여전히 올가미에서 벗어나지 못한 마리우스와 밤마다 침소를 습격당하는 나, 둘 중에 누가 더 비참한지를 생각했다.

엘프는 자유롭다. 인간의 틀에 갇히는 일은 없다.

그것은 하프 엘프인 마리우스에게도 해당된다.

그 마리우스가 그럭저럭 공작 작위를 받아들이고 인간계에 살았던 것은 오로지 여동생을 위해서였고 그 여동생을 쏙 빼닮았다는 손녀딸을 위해서였다.

그 후로도 성의 암적 존재였던 왕녀는 있는 대로 주변에 민폐를 끼친 끝에 아클라우스가에 시집갔다.

악의 소굴로 불리는 아클라우스가로의 강가(降嫁)였다. 다함께 지워 없앨 생각이겠지.

폐하도 드디어 결심을 한 거다. 부인인 왕비의 죽음으로 딸로서의 정도 줄어들었을 거다. 오빠인 왕자가 여동생을 보는 눈빛도 싸늘했다.

하지만 이로써 심야와 새벽의 기습으로부터 해방됐다고 안심했다. 그러자 타산적이게도 마법진 연구에 더욱 힘을 쏟았고 어느새 마을로 돌아갈 마음도 사라졌다.

—겹쳐질 리 없는 운명이었다.

다시 아클라우스가의 이름이 나온 것은 6년 후였다. 선대 폐하가 가정교사를 제안했을 때다.

마리우스와 함께 거절했다. 그러나 설득당한 끝에 결국 가게 됐다.

그 여자의 눈만은 피하고 싶었다. 눈이 마주친 순간 거기부터 썩어 들어갈 것 같은 착각에 빠졌다. 본다면 나도 모르게 눈을 찌푸러뜨릴 것 같았다. 하지만 그것도 좋을지도 모른다고 생각을 고쳤다.

그 정도로 최근 아클라우스가는 눈뜨고 봐줄 수 없었다.

할 수 없이 여장을 한 마리우스와 함께 뛰어든 악의 소굴에서, 말라깽이 소녀를 만났다.

"엘로즈 디아로즈 에멘탈 아클라우스예요. 여러분이 할아범이 말했던 가정교사 선생님이에요?"

"……아니."

"아냐."

"……그렇군요. 그래도 손님이 온 건 오랜만이에요. 편히 앉으세요!"

인간 여자는 어려도 지독한 향수 냄새와 분 냄새를 휘감은 존재라고 생각했었다.

아클라우스가의 별동에서 쓸쓸히 지내는 소녀에게는 깨끗한 물 냄새가 났다.

옅은 금발과 심원까지 꿰뚫어볼 것 같은 물빛 눈동자가 인상적인 소녀였다.

그러나 창백한 뺨은 아이 특유의 통통함이 없고 병적일 정도로 하였다. 팔다리도 가늘고 마치 살가죽만 입혀 놓은 동물 같았다.

짐승의 냄새가 전혀 없는 것은 인간이 즐겨 먹는 고기를 먹지 않아서일까. 가녀린 팔다리는 자세히 보니 까칠하고 귀족 여자가 자주 바르는 화장유 냄새도 나지 않았다.

……그러고 보니 마르크의 보고서에 따르면 약 3년 전부터 부모와의 단란함이 없었다고 적혀 있었다. 정말로 별동에 방치되어 있는 모양이었다.

쓸쓸하지만 어질러진 흔적이 없는 실내를 둘러봤다. 거기서 있어야 할 사람이 없다는 사실에 눈살을 찌푸렸다.

"……집사는 어디에 갔니? 얘기를 하고 싶은데."

"할아범은 저녁때가 돼야 이곳에 와요."

여섯 살 소녀는 그렇게 말하고는 다기를 다뤄 정중히 차를 내려 줬다.

"……소꿉놀이치고는 잘하는구나. 하지만 손님에게 차를 접대하는 건 후작 영애가 할 일이 아니야. 시녀는 뭘 하고 있니?"

"시녀는 없어요."

마리우스가 여자 말투로 놀리자 소녀는 곤란한 듯 눈썹 끝을 내리며 쓸쓸하게 말했다.

흰 손가락으로 찻잔을 들어 올려 붉은 입술에 붙이고 기울였다. 목구멍이 움직이는 것을 확인하고 손을 뻗었다.

"……맛있군."

"……응."

무심코 중얼거리자 소녀가 기쁜 듯이 눈을 가늘게 떴다.

"할아범이 준비한 특별 차예요. 가정교사 선생님들께 대접하라면서 내리는 법을 알려줬어요."

"우리는 가정교사가 아냐."

마르크에게 배웠군, 하고 생각하면서도 부정하자 소녀가 고개를 저었다.

"괜찮아요. 손님인걸요."

깡말랐어도 웃으니 인상이 환해지는군, 하고 생각했다.

그러나 어른의 기척이 전혀 없는 것이 신경 쓰였다.

"늘 여기서 뭘 하면서 보내니?"

"저요?"

"곁에서 돌봐주는 사람은 없어?"

"……할아범은 아버지와 어머니의 사람이에요."

"……호."

"얌전하게 있으면 부모님이 분명히 칭찬해주실 테니까 여기서 어머니를 기다려요. 책을 읽고 청소를 하고 모르는 게 있으면 할아범한테 물어보거나, 시녀나 요리사한테 물어서 배우고……."

과연, 텅 빈 별동의 의미를 깨달았다.

시녀도 집사도 부모의 것. 즉, 아클라우스 부부가 부려 먹는 자들이지, 딸이라고 해도 종으로 부릴 수 있는 자들이 아니라는 뜻일까. 그 오만한 왕녀가 할 법한 말이다. 친어머니조차 죽인 그 여자라면 모녀의 정이라는 것에서 의미를 발견하지 못하는 것도 이해가 갔다.

그러나 이런 어린 딸을 혼자 별동에 내버려두다니 얼마나 돼먹지 못한 부모인가.

그런 생각에 이르자 위험하다는 생각이 들었다.

내 옆에 앉은 여장 남자는 불우한 여동생을 맹목적으로 사랑하고 그 여동생의 유복자를 지키고 그 유복자가 남긴 딸까지 지킬 정도로…….

"알았어. 내일이랄 것도 없이 오늘부터 내가 너의 가정교사가 될게."

……시스터 콤플렉스였다.

"가정교사 선생님?"

"그래. 내가 너를 어디에 내놔도 부끄럽지 않을 숙녀로 만들어줄게."

마리우스 너 바이올렛한테도 똑같은 말을 했었지.

"……어이, 잊었어? 그 아클라우스의 딸이라고."

"알아."

"……전 왕녀를 만나기 전에 후작을 만나지 않기를 빈다. 네 지금 모습이 어떤지는 알고 있겠지?"

"아."

"어려운 문제군. 여장을 벗으면 전 왕녀, 여장을 유지하면 후작의 마수가 덮치다니. 아름다운 건 죄야."

"후, 후후후. 마수의 왕도 코를 막고 도망친다는 기피제를 만들어둬야겠어."

"……뭐, 힘내."

"가정교사 선생님? 로즈의, 선생님?"

"그래. 나는 마리우…… 마리아야."

"마리아 선생님!"

창백한 뺨에 희미하게 돌던 붉은색이 기억 한구석에서 지워지지 않았다.

그럼에도 두 번 다시 아클라우스의 땅을 밟을 일은 없다고 생각했다.

그 마리우스가 일이 끝나면 어딘가로 날아간다는 말을 듣기 전까지는.

아무도 없는 아클라우스의 별동에서 마리우스와 함께 책을 읽는 소녀의 모습을 상상하기란 어렵지 않았다.

그때부터 가끔씩 마리우스와 함께 아클라우스의 별동으로 향했다. 물론 가발을 쓰고 변장을 했다.

혼자 무리에서 떨어져서 공부하는 모습을 관찰했다.

소녀는 마르크가 말한 대로 별채에서 혼자 생활했다.

혼자서 옷을 갈아입고 혼자서 식사를 하고 혼자서 공부했다.

가르쳐주는 사람이 없었다는 것도 큰 이유겠지만 마리우스가 지도하는 수업이 힘들지 않은 모양이었다. 눈동자를 반짝이며 기쁘게 따랐다.

마리우스가 상대해주는 게 그리도 기쁜 걸까.

사전을 찾던 손끝이 종이를 덧그리는 것을 보고 있었다. 때때로 손짓을 멈추고 사전을 넘기는 소리가 났다. 사각사각 소리를 내며 천천히 글자를 베껴 썼다. 때때로 손을 멈추고 종이를 보고는 희미하게 웃고 다시 집중했다. 다 쓰면 종이 다발을 들고 후다닥 마리우스에게로 달려갔다. 그것이 부러웠다.

시녀가 없어서인지 방 청소도 화장실 청소도 소녀의 몫이었다. 목욕 준비는 역시 부담이 되는지 시녀가 도와줄 수 없을 때는 적신 천으로 몸을 닦는 것으로 끝냈다.

심할 때는 식사 준비조차 잊혀졌다. 가끔 그런 날이 있었는지 소녀는 불평도 하지 않고 물만 마시고 잠들었다.

어두워도 울지 않고 지켜주는 사람이 없음에 절망하지도 분개하지도 않고 담담히 일상을 살아가는 모습에 마음을 빼앗겼다.

마르크의 탄원이 없었다면 그 존재조차 알지 못하고 끝났을, 그런 희박한 관계다.

마리우스가 여장을 하면서까지 들어온 아클라우스가의 한구석에서 어미 고양이를 따라다니는 새끼 고양이 같은 소녀의 무엇이 그렇게 신경 쓰이는지를 자문했다.

답은 나오지 않았다.

짙은 녹색 안에 있는 소녀의 모습은 훌륭히 세상에 녹아들어 있었다. 그 존재감은 완전히 엘프였다. 나의 세계는 무조건적으로 소녀를 받아들이고 자비를 베풀었다. 그러나 소녀가 쫓아다니는 상대가 마리우스인 것이 마음에 들지 않았다.

"마리아 선생님. 꽃이에요."

어느 날, 과외 수업을 칭하며 데리고 나간 숲에서, 소녀가 흰 꽃을 향해 달려갔다.

"기다려, 로즈. 그 꽃은!"

마리우스의 당황한 목소리가 겹쳐졌다. 그때는 이미 소녀의 손을 잡고 있었다.

"……만지지 마."

"아?"

"아름다워 보여도 이건 독이 든 꽃이야. 엘로즈."

당장이라도 손을 뻗어 꽃을 꺾으려던 소녀의 손을 끌어당겼다. 크게 뜬 눈으로 이쪽을 올려다보는 물빛 눈동자에 초조함과 비슷한 감정을 느꼈다.

"로즈, 잘 모르는 숲의 식물은 함부로 만지면 안 된다고 말했잖아? 아무것도 만지지 않은 거지?"

마리우스가 의사의 눈으로 소녀를 검사하는 것조차 마음에 들지 않았다.

잡은 팔을 끌어서 뒤로 숨기고 싶어졌다.

"무슨 말도 안 되는 생각을……."

이 소녀도 언젠가는 눈으로 교태를 부리고 입술을 붉게 칠하고 손을 뻗어 남자의 목에 손톱을 세울 거다.

여자는 다 똑같다는 걸 잘 알고 있지 않은가.

"······기림, 말려줘서 살았다. 고마워."

"숲에서 채취할 땐 충분히 주의하지 않으면 이런 어린애는 금방 죽어."

"죄, 죄송해요. 선생님."

풀이 죽어 용서를 구하는 모습에 너무 화를 냈나 하고 반성했다.

그러나 마리우스의 드레스 자락을 붙잡고 사과하는 모습이, 그 손가락이 붙잡은 상대가 마음에 들지 않았다.

"기림, 아이는 호기심이 이끄는 대로 행동하는 법이야. 호기심을 가지는 걸 나쁘다고는 말할 수 없어. 하지만 위험한 식물이 있다는 사실을 잊으면 안 돼. 알겠니? 로즈?"

"네, 선생님."

타일러 가르치는 여장 선생과 학생.

그 관계에 조바심 같은 감정이 솟았다.

내 앞에서 두 사람이 사이좋은 자매처럼 얼굴을 맞대고 있었다.

싱글벙글 웃는 마리우스의 표정이 마음에 들지 않았다.

뭐야 그 표정은, 하고 분노를 느끼는데 마리우스가 소녀의 눈앞에 마술처럼 무언가를 쓱 내밀었다.

"자, 로즈. 이 버섯하고 이 버섯. 먹을 수 있는 건 어느 쪽이지?"

"······잠깐."

"여기 갓의 중간이 움푹 들어간 게 독버섯이에요! 축에 마디가 있는 이 빨간 버섯이랑 보라색 줄무늬가 있는 버섯은 맛있어요!"

"너도 무슨 짓을…… 아니, 맞지만."

마리우스의 질문에 소녀가 손을 들고 또랑또랑하게 답했다.

무심코 지적했지만 나는 나쁘지 않다. 버섯 판별법 따위는 귀족 영애의 필수 과목이 아니었다.

"먹을 수 있는 버섯 구별법이야! 다음은 먹을 수 있는 산나물 구별법과 시식이다."

"마리아 선생님의 버섯 요리는 엄청 맛있어요!"

그렇지? 하며 시선을 맞추고 미소 짓는 두 사람의 모습에 짜증이 솟구쳤다.

"마리아 선생님, 이건 먹을 수 있어요?"

"아아, 이거 말이지…….

"생으로 먹는 건 적합하지 않지만 삶으면 먹을 수 있어."

"기림?"

"잎 모양이 비슷한 이 식물은 뿌리에 독에 품고 있어. 하지만 건조시키면 회복제가 돼. ……식물을 잘 아는 건 너뿐만이 아니야. 오히려 내가 너보다 잘 알아. 안 그래? 마리우스?"

"**마리아다.** 확실히 식물이나 마법진 해석은 기림이 전문이지만 **넌 거절했었잖아.** 설마 진심으로 도와줄 생각이야?"

"기꺼이."

"아. 내일은 해가 서쪽에서 뜨겠군."

딱히 널 따르는 소녀를 보고 부럽다고 생각한 게 아니다.

하지만 이 소녀가 의지하는 자신을 상상하는 것은 나쁘지 않다.

마리우스를 향한 존경의 눈빛을 갖고 싶다고 생각한 게 아니다.

순수하게 노력하는 모습에 도움을 주고 싶다고 생각했다. 그뿐이다.

마리우스가 내준 과제를 해내고 성과를 칭찬받고 꽃이 피듯 웃는 그 모습을 좀 더 보고 싶다고 생각했을 뿐이다. 지금보다 더 가까이에서 그리고 가능하다면 내 힘으로 소녀를 웃게 하고 싶다.

그녀의 성장을 재촉하는 계기가 되고 싶다.

스쳐 지나가는 타인이 아니라 그녀의 기억 속에 남을 상대가 되고 싶다.


―흔한 갈색 가발을 쓰고 앞머리로 얼굴의 절반을 가렸다.

평소라면 쭉 폈을 등을 일부러 둥글게 말았다.

천천히 그러나 서두르듯 걸었다.

오늘 읽을 책을 마음에 들어해줄까. 최근 새로 개발한 마법진 도안을 예쁘다고 말해줄까.

성문을 지나, 감색 머리카락을 가진 장신의 여자 곁으로 걸음을 재촉했다.

여자가 안고 있는 바구니를 내려다보니 여자 아이가 좋아할 법한 연한 색감의 천과 색실이 잔뜩 담겨 있었다.

"그건 뭐야?"

"로즈가 자수를 좋아하는 것 같았잖아. 아클라우스가가 망해도 자수 작가로 살아갈 수 있게 가르쳐볼까 하고. 넌?"

"엘이 지난번 내가 구축한 마법진을 보고 예쁘다고 하길래."

"흐음…… 기림, 방어 마법진을 만들어줄 수 있어? 자수 모티브로 사용할 수 있을 만큼 작은 걸로. 그 작자가 요즘 빈번히 별동에 오기 시작했어. 무슨 생각을 하는지 훤히 보이는 얼굴로. 일석이조야."

그래, 불능이 되는 마법진도 좋아! 라고 중얼거리는 마리우스의 옆을 걸었다. 남성 기능 저하를 부르는 마법진 형성과 부정한 생각을 품은 남자를 물리치는 방법을 개발하는 것이 급선무라는 것을 깨달았다.

"제안에 부합하는 개발을 서두르지. 그런데 마리우스…… 너 여자 말투가 저절로 나오게 된 것 같은데?"

"상관 마."

……겹쳐질 리 없던 미래였다.

몇 년 후, 소녀의 이복 남동생이 저택에서 함께 살게 되면서 소녀는 더욱 분발하는 것 같았다.

서로 경쟁하듯 남동생과 지식의 문을 열어갔다. 소녀는 늘 남동생에게 자신과 비슷한 과제를 내줬다.

총명한 누나에게 자극받은 남동생은 그 재능을 꽃피우려 하고 있었다. 왕족의 색채를 가진 그 소년이라면 머지않아 마법 소양을 발현시킬 것이다. 그 미지의 가능성에 오싹할 만큼 흥분되었다.

아클라우스가의 종언을 바라면서 그 존속을 돕고 있는 모순은 알았다. 하지만 이 정도 소질을 가진 자를 가르칠 기회가 흔치 않은 것 또한 사실이었다.

그래서 이 아이들을 부모에게서 떼어낼 수는 없을까, 하고 마리우스와 생각하기 시작했다.

그러나 남동생의 재능은 눈을 끌었지만 소녀의 마법 소양은 현저히 낮았다. 소녀도 자신의 미약한 마법 소양을 알았다.

그러나 소녀는 낙담하지 않고 시행착오 끝에 적은 마법 소양을 활용할 기술을 찾아냈다.

실에 마력을 불어넣고 그 마력 실을 서로 꼬아서 진형을 만드는 기발한 재주였다.

정교하고 치밀한 진형은 약한 마력을 증폭시키고 강화시키는 데 성공했다.

그리고 그 진형은 나의 오랜 생에서도 한 번도 본 적 없는 형태였다.

그것을 만든 인재가 불과 열 살 소녀라는 사실. 그 무한한 가능성을 생각하면 가슴이 두근거려서 견딜 수 없었다.

그러나 아클라우스가의 부모는 도무지 답이 없는 쓰레기였다. 자식에 대한 정을 바라는 것 자체가 잘못이었다.

아클라우스파 귀족이 빈번히 부부를 찾아오고 있는 것은 알았다. 하나같이 질 나쁜 귀족으로 유명한 자들이었다. 그러나 설마 자기 자식을 악당에게 포상으로 주는 일 따위, 우리는 생각지도 않았다. 적어도 왕족 출신인 「전」 왕녀가 자기가 낳은 딸을 창부처럼 취급하는 걸 누가 생각이나 하겠는가.

—그날은 수업이 없는 날이라 원래라면 나는 아클라우스가에 들를 일이 없었다.

일전에 엘로즈가 아름답다며 눈을 가늘게 뜨고 봤던 마법진을 도안으로 옮겨서 충동적으로 저택을 방문했다.

이걸 보면 분명 기뻐하겠지, 라는 생각에 마음이 들떴다. 그러나 언제나의 그 방에 남매는 없었다.

"마르크, 애들은 어디 있어? 방에 없는데."

"그럴 리…… 설마."

"……불길하군. 찾아보자."

마법진을 전개시키고 소녀의 비약한 마력을 뒤쫓았다.

그렇게 있는 곳을 알아내자 일전에 소녀에게 준 마법진이 전개되어 있었다.

악덕 귀족 두 명이 마법진을 중심으로 바닥에 꿰매져서 꼼짝 못하고 있었다. 제대로 작동한 것을 기뻐하는 한편 남자들을 노려봤다. 비열한 속셈이 어른대는 일상 속에서 만일의 사태에 대비해 두 사람에게 회피책을 가르쳐준 것이 다행이었다.

"엘!"

"기림 선생님!"

엘로즈의 물빛 눈동자에 기쁨의 빛이 떠오르는 것을 자랑스럽게 생각했다. 이 미소를 짓게 한 사람은 틀림없이 나였다.

엘로즈의 온몸을 빠르게 훑어 상처가 있는지 확인했다. 가슴 부분이 찢어져 있는 게 신경 쓰였지만 엘로즈는 옷이 찢어진 것을 신경도 쓰지 않고 아란의 밧줄을 풀려고 필사적이었다.

"아란, 이제 괜찮아. 할아범과 선생님이 와주셨어."

"……무엇보다 엘이 무사해서 다행이야."

"참, 저를 걱정해주시는 건 기림 선생님과 할아범 정도예요."

엘로즈가 호호호, 소리 내 웃으며 아란의 밧줄을 풀었다.

"누님! 저는 상관 말고 도망치라고 했잖아요!"

아란이 자유로워진 손으로 재갈을 뜯어내고 소리쳤다.

그 반응에 눈이 동그래진 엘로즈가 눈을 깜빡인 후 싱긋 웃었다.

"아란도 참. 나는 아란을 두고 도망칠 생각은 없어! 아무렴 어설픈 남자들이 널 납치해가는 걸 보고만 있을까!"

아무래도 남동생은 누나를 도망치게 하려고 분투했던 모양이지만 누나는 스스로 남자들에게 향한 모양이었다. 아란은 "그게 아니야."라고 신음하며 엘로즈를 향해 격하게 말을 쏟아냈다.

"저 녀석들, 나를 미끼로 누님을 유인할 생각이었다고요! 내가 할아범을 불러오라고 부탁했잖아요!"

"그건 아란이 귀여…… 콜록, 우수하니까 남자들도 필사적이었던 거야. 나는 단순한 덤이야."

―처치 곤란.

아란을 향해 돌아서서 잘 알아듣게끔 자상하게 말했다.

"……아란, 이 일을 기회로 새롭게 정진하렴. 이 애는 네가 위험한 상황에 처하면 앞뒤 가리지 않고 달려드니까. 돌이킬 수 없게 되기 전에 네가 강해지렴."

"기림 선생님도 참. 동생을 지키는 건 누나로서 당연한 일인걸요?"

이 애는 자신의 가치를 전혀, 조금도, 요만큼도 깨닫지 못하고 있다.

"……엘. 너에게 남자의 성욕에 대해서 조금 더 가르칠 필요가 있을 것 같다."

"어머. 남성의 생리에 대해서라면 잘 아는걸요?"

……잘 모른다는 게 판명됐다.

마계 식물들 중에서 흉악한 녀석을 골라 포획 개조를 실행하자.

성 충동에 반응하는 개체가 있었을 터다. 반사적으로 적을 물리치는 것이 아니면 이 남매를 지켜낼 수 없다. 그러기는커녕 남동생을 포획하면 저절로 잡히는 누나가 대상이다.

생각에 잠겨 있는데, 엘르즈의 상기된 목소리가 귓가에 닿았다.

"기림 선생님은 언제나 저를 가장 걱정해주세요. 선생님의 마법진과 호부가 있어서 저도 이렇게 터무니없는 짓을 할 수 있어요. 선생님께는 정말로 감사해요."

그 미소에, 저 깊은 곳에서 기쁨이 솟았다.

"기림 선생님?"

"……아니다. 위험한 일은 하지 마. 엘. 걱정돼서 죽는 줄 알았다."

이 감정은 대체 뭘까.

이 소녀를 보고 있으면 솟아오르는 감정의 소용돌이에 이름을 붙일 수가 없어서, 나는 오늘도 괴로워했다.

아클라우스가의 당주 부부는 교묘히 법망을 빠져나갔다. 불법 약물을 판매하는 것도 인신매매에 관여하는 것도 나라의 중추에 파고들어 권력을 얻으려 움직인다는 것도 알았지만, 증거를 남기지 않았다.

드러나지 않은 증거를 수집하며 꼬리잡기 게임을 이어갔다.

그러나 우리는 철저히 그림자였기에 드러내놓고 행동하는 일은 없었다.

그래서 소녀도, 소녀의 남동생도 우리가 보강 수사를 하고 있었던 것은 몰랐다.

그러나 소녀는 자신의 부모가 저지른 악행을 폭로하는 길을 택했다. 귀족으로서의 긍지가 육친에 대한 정을 웃돌았는지 나라를 위협하는 죄인으로 부모를 고발했다.

그럼에도 귀족 신분을 떠날 거라고는 생각하지 않았다.

부모를 쫓아내도 아클라우스가는 아클라우스가이기에 귀족으로 남을 거라고 생각했었다. 그래서 폐하에게 남매의 후견인이 될 것을 제안했다.

그렇다. 나뿐만이 아니라 구원의 손은 얼마든지 있었다.

그중에서도 으뜸은 소녀의 백부인 폐하이고 소녀의 남동생인 아란이다.

전하에게 매달리면 미래까지 무사 평안하다. 후자에게 의지하면 가문의 존속은 쉬우리라.

그러나 그녀는 친부모를 감옥에 넣고 주위에서 소란을 떠는 아클라우스 일가를 모조리 색출해내 다 같이 망하는 길을 택했다.

그 청렴하기까지한 모습에 전율했다.

불과 열세 살인 소녀를 머리가 숙여질 정도로 존경하게 됐다.

소중히 지켜주고 싶었던 소녀는 그 순간부터 존경하고 마음을 바치는 여성이 되었다.

그녀와의 인연을 끊고 싶지 않았다. 그러나 가정교사라는 인연은 너무나 약했다. 이렇게 될 줄 알았다면 좀 더 이 일찍 정체를 밝히고 도왔어야 했다.

왕성에서 살 줄 알았던 그녀가 마르크마저 뿌리치고 금남의 장소인 수도원으로 들어갈 줄은 몰랐다.

그러나 이로써 원래 얼굴로 그녀 앞에 설 수 있게 됐다.

세상 여자들이 절찬하는 이 얼굴에 엘로즈도 수줍어 볼을 붉히지 않을까 자만했다.

……현실은 실로 사무적인, 가정부로서의 근무 내용에 대한 대화에 그쳤을 뿐이다.

그렇다면 마리우스 쪽이 취향인가 하고 그쪽을 봐도 사무적인 대화라는 것에는 변함이 없었다.

인간계에 몸을 둔 지도 오랜 세월.

설마 내가 어쩔 도리 없이 머물게 될 줄은 몰랐다.

하지만 그것도 어쩔 수 없는 일이다. 설마 내가 질투하게 될 날이 올 줄은 몰랐으니까!

마리우스보다는 훨씬 낫지만 엘로즈의 마음속에서 『기림』이 차지하는 높은 비중에 현기증이 났다.

그러나 기림의 정체를 밝히면 그걸로 해결된다고 생각했다.

엘로즈의 마음은 내 것이고 내 마음은 엘로즈의 것이었다. 그래서 사과하고 용서받으면 손을 맞잡고 미래를 걸어가자고 생각했었는데.

—마치 이번 생의 이별이라는 얼굴로 엘로즈가 울었다.

그 눈물조차 기림에 대한 것이라고 생각하자 질투를 해야 할지 자랑스러워해야 할지 몰랐다.

서로 같은 마음일 텐데 어째서 그녀는 나에게서 도망치는 걸까.

쫓아가서 묻고 싶었지만 딕섬 공작부인의 제지로 그럴 수도 없었다.

사랑 앞에서 나는 한없이 무력했다.

소중히 여기고 싶은 여자의 눈물조차 멈추게 할 수 없었다. 뭐가 현자인지. 웃기다.

하지만 난 이미 널 포기할 수가 없다. 몇 번이고 무릎을 꿇고 너에게 사랑을 구걸하겠다.

엘로즈, 널 사랑한다.

# 흑장미 아가씨의 3년간

고원의 시원한 바람.

시냇물 흐르는 소리.

녹색 향기에 실려 오는 것은 작은 새의 아침 인사—.

"샤갸갸갸갸갸갸갸!"

······오늘 아침도 기분이 좋은가 보구나. 거베라.

안녕하세요, 여러분. 여전하신가요?

엘로즈예요.

이곳 엘프 마을에 온 지도 벌써 3년이 됐어요.

너무 빨랐던 흑장미의 죽음은 제가 평온한 종언을 맞이하기 위해서라는 걸 알고 있었다. 아란이 걱정됐지만 몰래 할아범에게 부탁해 부적을 보냈으니 오해는 풀렸을 거라 생각한다. 연애 성취 부적, 도움이 되면 좋을 텐데······.

아찔한 러브러브를 가까이에서 볼 수 없는 이 딜레마를 엘프 마을의 식문화 개선에 몰두하며 해소하려고 열심히 뛰어다녔다.

엘프 마을은 무척 평화로운 곳이었다.

내일이라도 배드 엔딩 결말을 맞이할까봐 두려움에 떨던 그 무렵이 꿈처럼 느껴졌다.

이제 악의 꽃이 될 미래는 없으니 마음껏 이세계 생활을 만끽 중이다.

그리고 안녕, 밝은 농촌.

처음에는 경계하며 다가오지 않던 엘프 분들도 3년이 지나자 웃는 얼굴로 대해줬다. 위장 확보는 전략적으로 효과적이었다.

지난 3년. 필사적으로 엘프 분들의 입맛에 맞는 음식을 계속 고민했다.

여기서 쫓겨나면 죽는다. 혈혈단신이라 필사적이었다.

실마리는 엘프 두부였지만 역시 이리와 토저를 혼합한 밥 짓기를 추진하고 싶어서 노력했다.

1년째.

한촌에서도 수확살 수 있는 이리와 토저를 할아범과 함께 재배했다. 동시에 엘프콩과 천일염, 엘프 비장의 술 효모로 이리 누룩을 만들어 된장을 담갔다. 또 열심히 주변을 산책하면서 식용 식물을 찾았다. 숲에 돌진했다가 튕겨 나오거나 거대한 싹을 발견하고 덩굴 식물에 휘감겼다가 거베라에게 구조되거나, 방석 크기의 날아다니는 표고버섯에게 쫓기는 등 파란만장한 야외 생활을 보냈다.

2년째.

이리 쌀 취반 기술 보급에 힘쓰며 토저 떡 제조에 성공하고 보급에 매진하는 한편, 신종 식용 식물 포획술에서 시행착오를 겪었다. 대나무가 잠든 새벽녘 무렵이라면 죽순을 캘 수 있다는 것도, 거대한 싹을 물리적으로 튕겨내 떨어뜨린 뒤라면 참마를 마음껏 캘 수 있다는 것도, 날아다니는 표고버섯도 축을 분리하면 얌전해진다는 것도 모두 이 무렵에 알게 됐다.

3년째.

안정적으로 두부를 만들 수 있게 되어 엘프 마을에 두부 문화가 꽃피고 채소 요리의 형태가 완성됐다. 엘프 분들이 어딘가 먼 곳을 바라보면서 무지는 무섭군, 하고 중얼거렸다. 죽순의 맛과 참마의 저력, 방석 크기에서 부채 크기가 된, 두툼한 말린 표고버섯의 맛에 완전히 충격받은 눈치였다.

맛있겠지. 당연하지.

정성을 들인 된장의 품질에 신이 나, 이리 쌀로 지은 밥에 된장을 발라 구운 주먹밥을 만들었던 날이 떠오른다.

모처럼 불을 피웠으니, 라며 아침에 캔 죽순에 된장을 발라 굽거나 유사 표고버섯에 된장을 칠해 굽거나 유사 참마에 된장을 칠해 굽거나 비취색의 튀긴 두부에 된장을 발라 구웠다.

마마마, 맛있어! 라고 외쳤던 그날.

이웃과 함께한 즉석 바비큐 파티가 있었기에 지금이 있는 것이다.

토저는 전생에서 말하는 찹쌀 같아서 찌고 찧어서 떡으로 만들었다.

전생의 나였다면 이대로도 만족이다. 오히려 갓 찧은 떡에 간장과 김을 곁들이고 싶었지만 유감스럽게도 이쪽 세계에서는 그건 미지의 식재이다. 간장 같은 건 없다. 있는 건 돌소금, 향유, 향신료.

그래서 찧은 떡을 얇게 늘려서 말렸다. 간단히 구워서 먹을 수 있는 동절기 보존식이 완성됐다.

갓 구워내 소금과 향신료를 뿌려서 내놨더니 순식간에 마을에 퍼졌다. 참고로 할아범은 튀겨서 소금을 뿌린 것을 좋아하는 모양이다.

맛도 맛이지만 저장이 가능하다는 점에서 2년째부터는 마을 차원에서 이리와 토저 재배에 나서줬다.

하지만 이걸로 만족할 흑장미가 아니다.

전생의 저력을 똑똑히 확인하시라!

말린 떡을 어느 정도 먹고 잘게 빻아서 소금과 함께 볶았다.

볶으면 말린 떡에 조금 남아 있던 수분 때문에 볼록하게 부풀어서 『튀밥』이 된다. 그것을 이쪽 세계에서 꽃물당이라고 부르는 조청으로 굳혔다.

『조청 튀밥』 완성이다. 『조청 튀밥』처럼 그대로 먹어도 맛있지만 저는 조금 더 가공했다. 엘프콩을 볶아서 저민 비취색의 콩가루와 꽃물당을 섞어 반죽한 것을 얇게 늘린 피로 『조청 튀밥』을 김밥처럼 돌돌 말았다. 겉에 비취색 콩가루를 묻히면 완성이다.

전생에서 좋아했던 과자 『콩가루 튀밥말이』다.

원래는 압력을 가해서 찹쌀을 부풀리지만 그런 기계가 없어서 어중간한 콩가루 튀밥말이지만 희미한 단맛으로 보나 선명한 비취색으로 보나 왕성 사람에게 내놓아도 부끄럽지 않은 일품이라고 확신했다.

엘프 이장님께 완성품을 드렸더니 무척 맛있게 드시고는 하루가 멀다 하고 만들어달라고 하셨다.

실제로 한눈을 파는 사이에 왕성 사람이 먹고 있고…….

"……어머, 할아버지!"

못마땅한 얼굴을 하고 한 입 크기의 콩가루 튀밥말이를 입 안에 던져 넣는 할아버지를 보고 질렸다.

엘프 마을에 와서 가장 놀란 것은 역시 할아버지…… 선대 국왕 폐하의 존재였다.

엘프 마을의 고문 같은 직책을 맡으셨는지 인간과의 절충 사안 일체를 담당하고 계신 듯했다.

그래서 할아버지가 성에 머무는 날은 두 손으로 꼽을 정도일 거다.

손끝에 묻은 콩가루를 혀끝으로 핥아먹는 그 모습에서는 느낄 수 없지만, 역전의 용사이자 현왕으로 명망 높던 할아버지는 엘프 이장이신 할머니와 사이가 좋아 보였다.

엘프 마을에서 신세를 지게 된 후부터 몰락 전에 분명히 존재했 던 할아버지와의 거리감이 없어진 것 같은 기분이 들었다. 이렇게 쉽게 말을 걸 수 있는 분이 아니었는데 말이다.

하긴 내가 돼지의 딸이었으니 어쩔 수 없는 일이다.

"아아! 내, 내가 부탁했던 콩가루 튀방말이를 먹었구먼!"

"내 손녀가 만들어준 콩가루 튀방말이다! 내가 안 먹으면 누가 먹나!"

"내가 아들을 위해서 만들어달라고 일부러 부탁한 건데!"

"……흥."

……정말 이장님과 사이가 좋으세요…….

"이장님, 양은 충분하니 괜찮아요."

"미안하구나, 엘로즈. 아들이 돌아오는 게 1세기 만이라 마음이 들떴어. 그 아이에게도 꼭 맛보여주고 싶어서 말이다. 이건 정말로 맛있어."

백 년 만의 귀향인가요. 엘프, 대박.

……그런 생각을 하면서 겉으로는 미소를 띤 채 할아범을 불렀다.

"할아범, 두 분을 응접실로 안내해드려."

"네, 두 분께서는 이쪽으로."

빙긋 웃는 얼굴의 할아범이 어둡다. 이 한기는 뭘까요.

"자자, 이쪽으로(몇 번을 말해야 정문으로 들어와 주시는 겁니까. 주방 입구는 현관이 아니라고 그만큼 말씀드렸는데.)"

"우, 음."

"으음."

웃는 얼굴의 냉할아범에게 목덜미를 붙잡힌 할아버지와 창백한 얼굴의 이장님을 배웅한 뒤 차를 준비했다.

수레에 차 세트를 실어 응접실로 향했다.

"기다리셨죠? 변변치 못한 차지만 끓여봤어요."

―이 북쪽 변경 지역에도 여름 바람이 부는 계절이 돌아왔어요.

오늘은 예전부터 연구해왔던 유사 팥과 우무를 사용해서 만든 물과자를 준비했다.

나무통에 얼음물을 채우고 그곳에 꽂은 가는 대죽을 통째로 꺼내자, 예상대로 두 분이 얼어붙었다.

"……엘로즈, 미안하다. 다음에는 제대로 현관으로 들어오마."

"음, 미안하다."

즉시 사과하는 두 분의 모습에 무심코 웃음이 터졌다.

"어머, 호호호. 이건 새로 만들어본 과자예요. 할아버지, 이장님. ……할아범, 접시를."

"네, 아가씨."

""과자? 이게 말이냐?""

얇은 접시 위에서 세죽을 잡고 가는 송곳으로 마디에 구멍을 뚫었다.

끝에서 주르륵 흘러나온 것은 선명한 빨간색의 가늘고 긴 원기둥 형태의 물체였다.

"오오! 나왔다!"

"물양갱이에요. 이렇게 죽통에 넣어두면 형태도 망가지지 않고, 무엇보다 재미있지 않나요?"

"음. 확실히 재밌구먼! 나도 해보고 싶어."

이쪽 세계의 팥은 빨간색이라서 위화감이 있지만, 식용 물감을 넣는 수고를 덜었다고 생각하니 오히려 괜찮았다. 색깔만 신경 쓰지 않으면 맛도 식감도 팥과 똑같고 무엇보다 맛있었다.

"아룬의 씨를 설탕을 넣고 끓여서 천으로 걸러낸 것을 바닷말을 끓여서 녹인 것과 합쳐서 식혀서 만들었어요."

"……호오. 저번에 가져간 바닷말이 이렇게 된 건가."

"네. 할아버지 덕분에 과자 종류가 늘었어요. 할아버지께 가장

흑장미 아가씨의 3년간 151

먼저 맛보여드리고 싶어서 만들었어요. 드리게 돼서 기뻐요."

발놀림이 가벼운 할아버지 덕분에 상당한 양의 천일염과 다양한 해초를 얻을 수 있었다.

고장의 백성들조차 거들떠보지 않는 해초인 듯 상당히 의아해하시는 것 같았지만 그런 만큼 연구한 보람이 있었다.

"음, 이건 맛있어! 엘로즈 양은 정말로 식성(食聖)이구먼. 사양 말고 우리 집으로 시집 와!"

"노망이 난 겐가."

"뭘!"

할아버지와 이장님의 재담에 마음이 따뜻해지면서 나도 자리에 앉아 그리운 과자를 먹었다. 음. 너무 달지 않고 식감도 완벽했다.

한동안 물양갱을 실컷 먹고 차를 마시면서 쉬고 있는데 할아버지가 저를 보셨다.

"……엘로즈, 귀환 제의가 있었다."

"어머, 또요?"

1년째가 끝나갈 무렵부터 매달 몇 번이나 성에서 귀환 명령서가 날아와서 적잖이 질렸다.

백부님, 총 3년이라고 말씀하셔서 3년 정도는 참아주길 바랐어요. 하지만 품행방정한 흑장미예요.

거절 편지만 보내는 건 실례라며 답장을 쓸 때마다 새로 개발한 과자나 새로 만든 부적을 답장과 함께 보냈다. 가벼운 이삿짐 수준이었다.

헛걸음은 아니겠지만 집배원 취급을 한 헌병에게 미안했다.

몰래 아란에게 쓴 편지도 넣어 보냈기에 폐하의 편지는 너무 매정하게 대할 순 없었다.

귀환인가…… 차를 마시면서 시선을 방황했다.

"……확실히 3년이 지났네요, 할아버지."

"……아, 응, 그, 그래."

할아버지는 어쩐지 모호한 반응을 보였다.

"한번 다녀오는 게 좋을까요? 하지만 몰락해서 가문도 없는 제가 쉽게 출입할 수 있을 것 같진 않아요."

성의 보안은 허술하지 않다. 더구나 몰락한 집안의 딸을 왕성에 불러들여도 괜찮은 걸까?

"그 점에 관해서라면 마르크가 있으니 걱정할 거 없다."

"……그렇군요."

정말 할아범은 정체가 뭘까요. 흑장미를 뛰어넘는 능력자 냄새가 난다.

"허나 확실히 지금이 적기야. 이 이상 시간을 끌면 성가신 녀석들이 실력 행사에 나서겠지."

"네."

"특히 그 두 사람에게는 좀 더 주변을 위협해줬으면 하니까. 다행히 이웃나라 왕성에 무척 아름다운 꽃이 피었다고 하고……."

"……네."

이웃나라 왕성에 꽃이 핀 게 주변 제국의 톱뉴스가 되는 건가요.

전생 못지않은 평화로움이다.

하지만 평화로운 건 좋은 거다.

설령 그것이 영원한 평화가 아니라 한 지역의 수십 년뿐인 평화라고 해도 본편에 그려진 것처럼 피로 피를 씻어내는 전쟁 따위 보고 싶지 않다. 전쟁의 불씨가 되는 것도 완전 사양이다.

전 세계에 평화를, 같은 주제 넘는 소원은 품지 않는다.

다만 적어도 나와 가까운 사람들이 전쟁터에 나가는 일이 없는 평온한 시간을 바라지 않을 수 없었다.

그런 생각을 하고 있으니 차를 더 가지러 나갔던 할아범이 빠른 걸음으로 돌아왔다.

"주인님. 마을 경계선에 헌병이 나타났습니다."

"어이쿠, 드디어 기다림에 지친 건가."

굳은 표정으로 서로 끄덕이는 할아버지와 할아범의 모습에, 나는 피할 수 없는 운명 같은 것을 느꼈다.

"……어째서, 백부님은 왜 그렇게까지 저를 불러들이시려는 걸까요……."

나에게 가치가 없다는 건 알고 계실 텐데.

"엘로즈?"

배드 엔딩이 아직 사라지지 않은 건가. 나는 새삼 본편의 강제력에 전율했다.

"할아버지. 여러 번 오게 하는 것도 사자에게 부담이겠죠. 저 준비하고 있을게요."

하지만 소설 같은 나쁜 결말은 없을 거다. 그러니 그렇게 떨 필요는 없다고 스스로에게 되뇌어도 팔의 떨림은 멈추지 않았다.

응접실에서 복도로 나와 내 방으로 쓰고 있는 방으로 향하려 한 순간, 누군가가 현관문을 두드렸다.

이 저택에는 림 도사님이 감수한 침입자 금지 마법이 걸려 있었다.

그냥 통과할 수 있는 건 할아버지, 이장님, 할아범, 친하게 지내는 이웃 아가씨와 부인들이다. 그 이외에는 부지 안으로 들어올 수 없다. 즉, 현관문을 두드릴 수 있다는 건 위험인물이 아니라는 뜻이다.

게다가 집지킴이인 거베라가 꿈쩍도 하지 않았다.

할아버지와 이장님이 여기 있으니 최근에 시작한 요리 교실의 수강생이거나 과자 주문일 것이다.

"네, 나가요."

그래서 주저 없이 문을 열었던 것이다.

방문객의 얼굴을 확인하기 전에 다부진 가슴팍을 만나게 될 줄은 몰랐다.

"아아, 엘, 보고 싶었어⋯⋯."

정수리부터 허리뼈를 관통하는 야릇한 목소리가 위에서 들려왔다. 꽈아아아아악 안겨서 숨을 쉴 수가 없었다.

"떨어져, 림. 로즈가 찌부러져."

휙 떼어 내지고 다시 단단한 가슴팍이 시야를 가로막았어요. 다시 꼬오오오옥 안겨서 생명의 위협을 느꼈어요.

그러나 이 목소리는 들은 적이 있었다. 어째서 림 도사님과 마리우스 선생님이 있는 걸까.

웅얼거리면서 가슴팍에서 얼굴을 떼려고 애쓰는데, 질린 것 같은 목소리가 더 겹쳐졌다.

"마리우스, 만나고 싶었던 건 너희들뿐만이 아니야. 얼른 떨어져."

"선생님들, 더 이상은 제가 용납하지 않아요."

"떨어져주세요. 분명 숨을 못 쉴 거예요."

중저음의 듣기 좋은 남성의 목소리였어요. 하지만 이 목소리는 들은 기억이 없었다.

간신히 느슨해진 품에서 얼굴을 힘껏 들고 목소리가 난 방향을 봤다. 늠름한 용모의 청년들이 서 있었다.

나이는 20대 초반정도 되어보였다.

"아아, 반가운 것도 보고 싶었던 것도 우리뿐이라니 매정하군."

"이런 벽촌으로 이사를 가서 일 년에 몇 통뿐인 편지라니!"

"살아 있다는 건 알지만 다치기라도 한 건 아닌지 걱정했다고. 정말 넌 나쁜 여자야."

으음, 모르는 남자들이 위협하는데도 죄악감이 밀려오는 건 왜일까.

다만 한 가지, 말해줬으면 하는 게 있었다.

"누구냐."

아. 본심이 나와버렸어!

어, 어쩌지. 무심코, 본심이 나오고 말았다. 누가 이 얼어붙은 공기를 어떻게 좀 해줘.

지난 3년간 풀어졌던 긴장을 뼈저리게 느낀 흑장미다. 저 멀리 어렴풋이 축 늘어진 고양이가 보인다. 흑장미 바보!

림 도사님과 마리우스 선생님은 변함없이 아름다운 모습으로 배를 잡고 웃었다. 눈호강이다.

하지만 두 분 옆에서 바짝 얼어 있는 세 사람.

큰 키에 금발, 귀족적인 푸른 눈동자를 가진 두 청년과, 마찬가지로 키가 훤칠하고 흑발에 푸른 눈동자를 가진 청년은 본 기억이 없었다.

없었지만 조금 전의 말과 행동을 보고 초면이 아니라고 확신했다. 이건 몹시 곤란한 상황이었다. 존귀한 귀족 분들의 얼굴을 까맣게 잊다니.

그들은 림 도사님, 마리우스 선생님과 동행할 수 있으니 왕성에서도 우수한 자들인 것은 분명했다.

더욱이 왕족의 희귀한 색채를 지닌 남성이 둘이나 있었다.

왕성. 즉, 폐하가 할아버지께 보낸 정식 사자라고 생각했다.

할아버지께 알리기 전에 나는 이 실수를 만회해야만 한다.

내 실수가 엘프 마을의 교만으로 보여서는 큰일이다.

평화 제일. 이게 중요하다.

자! 진가를 발휘할 시간이야!

만해, 아니 아니, 만회할 거야!

자세를 바로하고 그들 앞에 섰다. 머리끝부터 발끝까지 온몸에 힘을 줬다.

천천히 옷자락을 들고 무릎을 구부려 숙녀의 예를 갖췄다.

"먼 길을 와주신 사자 분들께 무례를 범했습니다. 존함을 들며 방문에 대한 예를 갖춰 인사드려야 마땅한 것을, 이 몸이 참으로 몽매하여 사자 여러분들의 존함을 깜빡 잊고 말았습니다. 한없는 무례함에 이 엘로즈, 부끄러울 따름입니다."

정신을 집중하고 덧없이 보이게끔 반복해서 연습했던 각도로 인사를 하고 천천히 얼굴을 들었다.

"사자 여러분, 무례를 용서하시고 존함을 알려주세요."

청초하고, 덧없이 보이게끔. 독 같은 거 없어, 해치지 않아~ 라는 표정을 지으면서, 실제로는 힘껏 의견을 보였다. 이것이 올바른 귀족 숙녀의 자세다. 기사라면 숙녀의 신청에 노, 라고는 말할 수 없다. 자, 말해.

그런데 가운데에 선 잘난 척하는 청년이 눈을 크게 뜨고 나를 뚫어져라 쳐다봤다.

아, 한숨 쉬었어. 그 어깨를 움츠리고 "하, 이런." 하는 몸짓, 열받아. 아니 아니, 화내면 안 돼. 나는 숙녀. 나는 숙녀.

웃는 가면 뒤로 허둥대면서 방대한 소설 지식과 통째로 암기한 귀족 명부를 파헤쳤다. 두꺼운 책을 넘기듯 기억을 뒤졌다.

이 녀석도 아니야. 이 녀석도 아니야. 애초에 이런 희귀한 색채를 가진 남자가 폐하와 전하, 아란 이외에 있었나?

전하가 태어났을 때, 이로써 드디어 완벽한 왕족 특성이 둘이 되었다고 귀족들이 떠들어댔었다. 잘못 들었던 걸까?

게다가 이 미모.

부녀자들의 레이더망에 걸려서 동인지상에서 커플링되어 있어도 이상하지 않아. 그런데 동인지 기억에도 없다니 흑장미도 약해졌다.

아무리 떠올려 봐도 짐작 가는 인물이 없었다.

결국 어찌할 바를 모르고 그들을 올려다보고 말았다.

나를 향해 선 세 명 중 오른쪽의 금발 청년이 울 듯한 표정으로 나를 보고 있는 걸 깨닫고 움찔했다.

무심코 넙죽 엎드려서 사과하고 싶을 만큼 슬픈 얼굴이다. 명색이 흑장미가 죄악감에 시달리다니!

하지만 매달리는 듯한 그 눈빛을 보니 죄악감밖에 들지 않았다. 계속 그 눈빛을 보고 있으니 어디선가 본 적이 있는 것 같은 기분이 들기 시작했다.

그렇다. 그것은 그 마지막 날. 성문에서 아트페로 돌아가는 나를 쫓아왔던 아란의 눈빛을 많이 닮았다.

어쩐지 가슴이 팔딱팔딱 뛰기 시작하고 무릎까지 바들바들 떨려 왔다.

어, 어?

존귀한 분위기의 금발 청년을 사이에 끼고, 왼쪽 옆에 선 흑발 미남이 나를 보며 씁쓸하게 웃었다. 이 구도, 어디선가 본 것 같은데?

흑발 청년의 부드럽고 시원시원한 눈빛에 불쑥 마음 깊은 곳을 긁혔다.

모멸로 가득 찬 험악한 눈빛에 찔려서 죽는 것도 재미라고 생각한 적도 있었다. 사촌 남동생과 아란을 향한 신뢰의 눈빛을 나에게도 보내주기를 바란 적도 있었다. 그것은 원해서도 안 되는 망상에 불과한 말장난이라는 걸 알면서도 나는—.

……이상하다. 대체 언제 그런 생각을 했을까.

각기 다른 미모를 뽐내는 청년들을 보고 있자 문득 기억이 모호해졌다.

그리고 그들을 보고 있으니 그리운 소년들의 모습이 겹쳐졌다.

하지만 그럴 리 없다.

그럴 리 없는데 가운데 청년이 장난에 성공한 소년처럼 웃었다.

그 감쪽같이 속였다는 미소, 엄청 낯익어.

"이제 그만 눈치채. ……사촌 누이."

"……설마, 설마, 가, 가일 전하, 예요?"

그런 설마하는 생각도 허무하게, 내 대답에 만족했는지 난폭한 금발의 푸른 눈동자 소년이 크게 끄덕이며 웃었다.

나는 그 미소에 크게 휘청하고 옆에 선 금발 청년을 올려다봤다.

"……그, 그럼, 당신이…… 아란?"

"네, 누님."

금발의 푸른 눈동자 정통 왕자님계, 금발 청년과 눈을 맞추자 녹을 듯한 미소로 긍정했다.

"그, 그럼……."

덜덜 인형처럼 얼굴을 움직여 남은 흑발 청년을 올려보자 내가 묻기도 전에 청년이 입을 열었다.

"크르트입니다. 엘로즈 양."

소설에서조차 좀처럼 볼 수 없었던 레어 급인 크르트 님의 만개한 미소가 눈앞에서 작렬했다.

빙글, 멀미가 났다.

나는 전생에서 푹 빠져 읽었던 본편 총 12권의 내용을 떠올렸다.

주인공 아란의 장대한 하극상 스토리는 아란 나이 5세부터 16세까지에 해당하는 불과 10년간의 이야기였다.

16세 이후의 이야기는, 존재하지 않았다—.

*** 

충격적인 사실에 기능이 정지된 머리를 애써 깨우고 굳은 몸을 억지로 움직여 아란과 마주했다. 흑장미, 얼빠져 있을 때가 아니야.

"저, 저기, 아란. 나 뭐가 뭔지……."

"누님. 며칠 전 스무 살 기념으로 폐하께서 자작 작위를 하사하셨어요. 누님이 언제든지 돌아올 수 있도록 저택도 마련해뒀어요. 이제 혼자서 고생시키지 않아요. 함께 집으로 돌아가요!"

빙긋 웃는 아란의 모습에 초장부터 한방 먹었다. 내 상태는 해롱해롱이었다.

여덟 살이던 귀여운 남동생이 3년 후 갑자기 스무 살이 됐다.

나, 나는 이제 막 열여섯 살이 됐는데 말이다.

어찌된 영문인지 몰라 눈을 희번덕거리고 있자, 전하로 추정되는 남자가 씨익, 웃었다. 무서워.

"네가 왕성에서 사라진 지 벌써 12년째야."

"저, 전하, 전하는……."

"나? 나는 스물 둘이 돼."

심술궂게 미소 짓는 사촌 남동생 전하의 말에 새파랗게 질렸다.

십, 십이 년, 이라고……!

뒤늦게 엘프 마을의 불가사의함에 대해서 이전 생의 지식이 떠올랐다.

아. 아아……아아아!

북쪽 변방에 위치한 고독한 땅. 누구도 가보지 못한 비경. 한번 들어서면, 같은 시간을 공유하는 일 없음—. 현실로 돌아오면 꿈으로 전락하는 도원경. 그것이 엘프 마을.

읽으면서 우라시마 타로 같다고[#1] 생각했던 건 누구지.

바로『나』다!

전하가 히죽, 사악한 웃음을 흘리면서 나를 내려다봤다.

젠장, 3년 전에는 내려다봤었는데! 아직까지 내가 크다고 생각했는데!

"여전하군, 사촌 누이. 후후, 그래. 앞으로는 특별히『오라버니』라고 부르게 해줄게."

**누가 부른다고!**

---

**#1 우라시마 타로 이야기** 거북의 보은으로 용궁 구경을 간 어부 우라시마 타로가 구경을 마치고 뭍으로 돌아왔더니 세월이 훌쩍 흘러 혼자만 늙어버렸다는 일본의 옛날이야기.

"호……호호호, 사양할게요. 황송해서 떨림이 멈추지 않아요."

분노로 말이야!

"사양하지 마. 나도 여동생이 한 명 더 생긴 것 같아서 좋아. 루나마리아도 널 만나고 싶어 해."

"……어머, 공주님이 태어나셨어요?"

"응, 곧 있으면 열두 살이야."

미니어처판 사촌 남동생 전하를 여장시키고 애교를 부리게 해 사촌 여동생을 상상하자 다시 그리운 목소리가 들려왔다.

"엘. 데리러 오는 게 늦어졌어. 용서해주겠니."

조금 전에 들었는데도 깊이 스며드는 야릇한 목소리에 다시 심장이 두근거렸다.

"엘을 데리러 올 때 걱정을 남기지 않으려고 국내에 남아 있던 잔존 세력과 이웃나라의 악당까지 모조리 해체했더니 생각보다 시간이 걸렸어. 하지만 너를 두고 아클라우스가의 맏딸이라고 멸시할 자들은 이제 없어."

기억 속의 그 사람과 조금도 다르지 않은 목소리. 당연하다. 동일 인물이다.

"그래. 지난 12년 동안 로즈를 잊은 적은 없었어. 이 한 가지 방법이 너를 지키기 위한 거라 믿고 포석을 깔아왔어. 하프 엘프인 나에게도 이 세월은 길었어."

마리우스 선생님이 림 도사님의 말에 수긍했다.

"엘, 외롭진 않았니? 마을은 즐거운 곳이었을까? 이장님은 제멋대로였지?"

"꽤 활약했다던데. 전해 듣는 말이 아닌 네가 해주는 이야기를 듣고 싶어."

아름답게 웃는 두 사람의 뒤로 그분을 찾지 않을 수 없었다.

살짝 굽은 등에 평범한 갈색 머리카락, 큰 키, 환영인 걸 아는데도.

"오오, 기림. 돌아왔구나."

나는 퍼뜩 저택을 돌아봤어요. 그 이름은 이제 존재하지 않는 그분의 이름이다.

그 이름을 부른 사람은 목소리로 볼 때 귀여운 할머니인 이장님일 테지만, 뒤돌아 확인한 그 사람은 키로 보나 스타일로 보나 마치 전생에서 말하는 톱모델 같은 화려한 미녀였다.

"저, 저기? 그, 이장님……이죠?"

"음."

"어머니."

어, 어머니—.

놀란 나를 아랑곳하지 않고 모자는 미소를 주고받았어요.

"1세기 만이구면. 이 불효막심한 놈."

"후후. 제가 없는 편이 어머니도 홀가분하시잖아요? 해안가 마을까지 같이 여행을 하셨다면서요?"

"인간은 짧은 시간 동안 빛나려고 하니까. 친구를 기억에 새겨두자고 생각했던 것뿐이야."

"……여전히 친구 취급당하시네요."

"망자를 이길 연인 따윈 없어. 그렇다면 최고의 친구가 되는 게 제일이지! 친구라면 싸워도 화해할 수 있어. 남녀 사이라면 그러지 못해."

"꼭 그렇지만은 않아요."

얼굴을 붙이고 재회의 인사를 나누는 두 사람을 뚫어져라 응시했다. 나는 눈알이 빠지는 줄 알았다.

붉은 장발, 날렵한 턱선, 옆으로 긴 푸른 눈동자, 잘생긴 코, 도톰한 입술. 여성 판 림 도사님이 그곳에 있었다. 남자라면 반할 수밖에 없는 미모의 소유자였다.

확실히 핏줄임을 알 수 있는 두 사람이지만 굳이 하고 싶은 말이 있었다.

질량 보존의 법칙은 어떻게 된 거야.

이장님은 작고 아담한 할머니였는데, 명백히 커졌다. 그것도 무럭무럭 커졌다.

특히 흉부의 장갑 부분은 나도 방법을 묻고 싶을 정도로 봉긋해졌다!

"결국 참지 못하고 데리러 온 건가……."

"하……할아버지!"

저택 안에서 느긋하게 걸어 나온 할아버지와 그 뒤에 대기한 할아범의 모습에 퍼뜩 깨달았다.

그렇다! 나는 할아버지와 할아범에게 따져야만 했다!

이장님의 변신은 할아버지가 밖으로 나오신 순간 해제되어 마스터 요ㅇ 같은 모습으로 돌아왔다.

그 사용 전과 후에 대해서 물어보고 싶은 게 많지만 지금은 우선.

"할아버지, 엘프 마을과 왕도는 시간의 흐름이 다르다는 걸 왜 알려주지 않으셨어요!"

"엘로즈."

"아가씨."

"……너무하세요, 할아버지. 너무해요, 할아범. 귀중한 아란요미의 성장을 지켜보지 못했어요!"

"……요미?"

"요미……"

"누님……!"

촉촉해진 눈동자로 그들을 올려다보자 아란의 희고 아름다운 얼굴에 붉은빛이 스쳤다.

아아……귀중한 모에의 기회를 몽땅 날리고 말았다!

화려한 밤의 전쟁을 못 보고 놓치다니. 흑장미 평생의 실수다.

밤의 현자 림 도사님의 회심의 도발도.

인체의 신비를 파헤치는 마리우스 선생님의 매혹의 결박술도.

10년이 지나 근위대장이 되어 있을 복숭앗빛 에로스 대원의 모두에게 먹힐 에로틱함도.

나르 역시 여장벽이 없다면 이상적인 공이었다. 츤츤 나르가 수줍어하는 그 순간을 보고 싶었는데!

그리고 열정과 젊음으로 지배하는 가일 전하의, 독설 수치 공인 줄 알았더니 달달한 왕도 공격으로 죽이기.

스토익해 보여도 밤에는 투덜투덜, 불언실행, 말보다 몸으로 이야기하는 크르트 님의, 조를 때까지 울게 하는 재주도 볼 기회를 놓쳤잖아!

게다가 아란은 성실함을 그림으로 그려놓은 것 같은 이상의 왕자님이 되어버렸다…….

아직 3년밖에 안 지났으니 다시 만나도 열한 살인 줄 알았는데 이 모양이다!

이건 이미 번데기의 탈피 같은 게 아니다.

왕도 왕자님계의 씩씩한 수가 지금은 어엿한 싸우는 주인공이 됐다.

단련해온 모양이라 섬세했던 몸매도 다부져져서 이상적인 공의 체형이 됐다.

얼굴도 우는 얼굴이 빛나는 여자 얼굴이었는데 지난 12년 사이에 용맹하고 늠름한 세련된 남성의 얼굴이 돼버렸다…….

누나의 입장으로는 남동생이 훌륭하게 자라서 기쁘지만 마음은 복잡했다.

너무나도 귀엽고 사랑스러운 나의 천사. 나의 치유제, 최고의 수인 아란이 어느새 공으로 전직했다.

……울어도 될까.

***

모든 것 — 유기물이든 무기물이든 — 에게 닥치는 평등이 「시간」이라는 걸 알고 있었지만 엘프 마을만은 예외란 걸 깜빡 잊고 있었다.

쌀밥 무쌍을 하고 있을 때가 아니었다. 맛있었지만.

두부 무쌍을 하고 있을 때가 아니었다. 맛있었지만.

식재 무쌍을 하고 있는 사이에 귀중한 어린 시절의 모에 시간이 끝나버렸다.

슬프다.

"그, 그렇게 울지 마라. 엘로즈. 아란이 자라는 걸 지켜보고 싶어 한 건 알았지만 정세가."

"이웃나라의 멍청이가 쳐들어왔었으니까. 나도 말렸어. 미안, 미안하구나. 로즈."

미안해하는 할아버지와 이장님의 목소리에 현실로 돌아왔어요. 동요하고 있을 때가 아냐.

"죄……죄송해요. 다들 이쪽으로 오세요. 곧 차를 준비할게요."

침착해. 침착하자. 엘로즈.

부엌에서 차를 준비하면서 심호흡했다. 잃어버린 시간은 돌아오지 않아요. 이건 명백한 사실. 잃어버린 모에…… 쿨럭, 하지만 끝이 좋으면 다 좋은 거다.

아란이 스무 살 청년이 됐고 더구나 폐하의 총애로 귀족 지위를 하사받은 것은 기쁜 일이었다. 그 반면 나에게 그것은 사망 플래그

재소환의 공포였다.

이 마중 나온 인물들의 구성으로 볼 때, 백부님은 진심으로 나를 불러들이려는 걸 것이다.

……어쩌면 귀중한 왕족 여성이라는 점에서 핏줄을 강조한 정략결혼이 계획되어 있을지도 모른다.

농촌에서 자유를 만끽하던 나에게 왕도는 이미 감옥과 같았다.

하지만 나는 3년 전 스스로에게 맹세했다.

반드시 배드 엔딩을 피하는 것과 또 하나.

—언젠가, 살아남기 위해 소설을 마음대로 쥐고 흔든 책임을 지는 것.

소원대로 몰락한 지금, 흑장미는 원래라면 이 나라의 귀족으로서 짊어져야 할 의무를 다해야 한다. 거기에는 물론 정략결혼도 포함되어 있을 것이다. 귀족 자녀라면 당연히, 하물며 죄인의 딸이다.

시집간 곳에서 냉대를 받든 학대를 받든 옥중 능욕 결말보다는 훨씬 났다.

걱정이 있다면 그것은 아란의 사랑뿐이었다. 하지만 엘프 마을에 크르트 님과 함께 왔다는 것은…… 두 사람의 사랑이 순조롭다고 봐도 되겠지.

나 같은 악당의 걱정 따위 그들의 사랑 앞에서는 기우조차 되지 못했던 거다.

그래. 흑장미. 그렇게 생각하면 돼.

교복 모에 시간은 끝났어도 직장인 모에가 있잖아.

직업 기사 × 마법 기사 커플은 분명 세상의 아가씨들을 잠 못 이루게 만들었을 것이다.

크르트 님, 연적은 많겠지만 오래도록 아란을 부탁해요.

그건 그렇고, 이장님이 빌려준 이 집은 작지만 귀족을 맞이하기에 걸맞은 귀빈실이 있었다.

할아버지는 오로지 부엌 겸 식당으로 출몰해서 거의 사용하지 않지만 전하가 앉으니 역시 중후한 느낌이었다.

실수로라도 중후한 이 방의 장엄한 식탁에서 말린 떡을 만드는 건 안 될 것 같았다.

그런 중후한 식탁의 상석에 할아버지와 이장님이 앉고, 이장님의 옆에 림 도사님과 마리우스 선생님이, 할아버지의 왼쪽에 사촌 남동생과 크르트 님, 아란이 앉았다.

각자에게 차와 과자를 대접하고 다시 그들을 쳐다봤다.

장관이었다. 전 국왕 폐하와 엘프족장의 무언의 위압감에 필적하는 내가 나다, 라는 사촌 남동생의 뻔뻔함. 조금은 겸손을 배우는 게 좋아.

3년 전, 아쿠, 12년 전인가요? 아무튼 변함없이 아름다운 대현자님이 느긋하게 자리하고 있고, 싸우는 의사 선생님은 앉아 있는 것만으로도 우아하고 아름답다. 그 존재감은 장난이 아니었다.

더욱이 매혹적인 투 샷으로 천국으로 초대하는 크르트 님과 아란이었다. 존재만으로도 배경에 큼직한 꽃을 피우는, 부녀자가 꿈꾸는 이상적인 커플이었다.

뭐야 이 눈부신 아름다움은, 눈뜨고 보는 천국인가. 들이마시는 공기마저 향기롭고 호화롭구나.

"다시 한 번 마을에 오신 걸 환영해요. 전하. 림 도사님. 마리우스 선생님. 크르트 님. 그리고 아란……. 훌륭하게 컸구나. 폐하께 신뢰받고 있는 것 같아서 안심이야. 자작 작위를 받을 정도로 노력했구나. 나는 네가 자랑스러워."

우아함을 모토로, 근성으로 미소 지었다.

아란의 안심한 미소에 치유받았다.

그곳에 있는 것만으로도 기적의 힐링 효과가 있었다.

고생했을 텐데 그것이 조금도 느껴지지 않는 모습에 감동했다.

하지만 가격으로도 책정할 수 없는 그 미소, 실수로라도 이상한 자 앞에서 보여주면 안 돼. 늠름해졌다고는 해도 네 상대는 산전수전 다 겪은 맹장들뿐이니까. 언제 뒤를 보여서 그런 일이 벌어질지 모르니까.

"……조금 전에 네가 해준 제안, 정말 기뻐. 하지만 아란. 나는 그때 대외적으로 죽은 걸로 알려진 사람이야. 네가 생각하는 것 이상으로 다른 영지 귀족의 시선은 냉혹해. 내가 엘로즈라는 게 알려지면 죄인의 딸을 은폐한 죄를 추궁당할지도 몰라. 또 알려지지 않더라도 괜한 의심을 사거나 있지도 않은 왕가에 대한 모반을 의심받을지도 몰라."

일단은 정공법으로 공격했다. 솔직히 엘프 마을의 사절로서 백부님을 알현할 수는 있어도 아클라우스가의 생존자라는 걸 들키면 큰일이다.

"엘, 그건 기우야. 일어나지도 않은 일을 걱정해서는 아무것도 시작되지 않잖아?"

"림 도사님. 그건 저와 가까운 분이니까 할 수 있는 말이에요. 대부분의 사람들은 저를 모르지만, 제가 짊어진 가명은 너무 유명한걸요."

"로즈. 몰락한 가명을 기억하는 자도 있지만 그걸 능가할 만큼 아란은 훌륭하게 활약했어. 누구도 너희를 멸시할 수 없어."

"네. 그런 것 같네요. 마리우스 선생님. 아란은 자기가 세운 공으로 작위를 받았어요. 그렇다면 아무런 공적도 없는 제가 남동생이 성공했다고 그 곁으로 들어가도 될 리 없어요."

……본심을 말하자면, 시누이가 되고 싶지 않은 거야.

그레이 자작이 된 아란과 메이덴 자작 크르트 님의 밀회는 지금도 분명 현재 진행 중일 테니까.

사랑을 방해하는 본편 흑장미와는 다르다고…… 누가 위인지를 상상하면서 몸부림은 치지만!

"하지만 이대로라면 누님의 후견인 자리를 놓고 싸우는 자들의 소동에 휘말리고 말아요. 제발 제 곁으로 온다고 말해주세요."

의자를 넘어뜨릴 기세로 아란이 벌떡 일어났다. 성장했어도 가련하고 사랑스러운, 필사적인 그 표정에, 기합을 넣고 덧없는 미소를 돌려줬다.

콧김 봉인. 안구야, 핏발 세우지 마. 흑장미는 모에를 위해서 몸을 내던졌다.

"……그 젊은 나이에 자작 작위를 받은 넌 앞으로 더욱 중앙에서 활약하겠지. 마법 특성도 그렇고 왕족 특화도 그렇고. 전하 곁에서 바쁜 나날을 보내게 될 거야. 아란, 잘 들으렴. 전에도 말했었지? 나는 네 족쇄가 되고 싶지 않아. 후견인 문제도 그렇게 걱정하지 않아도 돼. 내 후견인 되려고 하는 기특한 분은 없어. 그래, 있다면 백부님 정도일까."

후후, 웃으며 단언하자 주위에서 하아~, 하고 크게 한숨을 쉬었다.

전하는 늘 그랬지만 림 도사님과 마리우스 선생님, 할아버지에 이장님까지 눈을 감고 머리를 절제절레 흔들었다.

아란은 오른손으로 얼굴을 누른 채 굳었고, 크르트 님은 웃고 있었다.

……어쩐지 크르트 님, 웃음이 헤프다. 귀할 터인 웃는 얼굴이 후하다.

"사촌 누이. 너 여전히 둔하구나. 이제 그만 자기를 너무 과소평가하는 태도를 버려."

사촌 동생, 무례하잖아.

"네 후견인 후보에 이름을 올린 건 아란 그레이뿐만이 아냐."

"그래. 흑여우가 손을 들었다고 듣고 놀랐는데 가일, 사실이야?"

"네, 사실이에요. 할아버지. 알겠어? 사촌 누이. 너의 후견인이 되려는 주요 인물은 여기 있는 림 도사, 마리우스 의사, 아란 그레이 외에 재상 가문인 이스라판 가문, 장군직에 있는 쟈스라크 가문, 그리고 딕섬 공작가야. 아아, 물론 필두는 도울블 가문의 당주이자 국왕 폐하이신 아버지지만."

"……무."

뭐라고요?

"자작 작위를 받은 게 아란의 공이라면 이번 후견인들의 입후보는 너의 공이야. 네 부적이 만든 인연이니까."

"전하?"

사촌 남동생의 말에 멍해 있는데 아란이 전하를 향해 덤벼들듯 외쳤다.

"누님의 후견인은 저예요!"

"……후견인에 입후보한 자들 말고 더 성가신 녀석들이 있겠지."

아란의 목소리에 할아버지가 느긋하게 차를 마시면서 중얼거렸다.

"……네. 할아버지. 아직 부끄러움을 모르는 자가 우리나라에 있다는 사실에 질렸어요. 후견인에 입후보한 자들의 직함을 보고 사촌 누이와의 혼인을 타진해온 멍청이들 말씀이시죠?"

사촌 남동생이 눈에 험악한 빛을 띠면서 할아버지에게 답했다. 머리가 백지화된 상태로 할아버지와 사촌 남동생의 대화를 듣고 있었다.

"화를 돋우는 것도 정도가 있지. 마치 은혜라도 베풀 듯이 구는 놈들은 『후견인이 누구든 핏줄에 문제가 있는 건 명백하니 혼인도 어렵겠지요. 혹시 괜찮다면 우리 집안의 차남과 그 수녀를 맺어주는 건 어떨까요』라면서 아버지께 제안해온 모양이에요."

"……호. 도대체 어느 집안 사람이냐?"

할아버지가 살벌한 눈빛을 숨기지도 않고 사촌 남동생에게 물었다.

"주인님. 걱정 마십시오. 구혼자의 신상서는 폐하께 수시로 받고 있습니다. 제가 직접 조사에 조사를 거듭해 인품, 병력, 성벽, 빚 액수까지 파헤치고 있으니 주인님이 번거로워지실 일은 없습니다. 정신을 차렸을 때는 모든 것이 끝나 있을 겁니다."

내 뒤에 서 있던 할아범까지 할아버지와 마찬가지로 냉랭한 기운을 퍼뜨렸다. 추, 추워. 뭐야 이거. 평소처럼 주인님의 물음에 답하고 있지만 귀에 부드럽지 않은 단어가 들렸다.

"하, 할아범?"

인품, 병력은 그렇다 치고 성벽, 빚은 파헤쳐지면 도망칠 곳이 없잖아.

특히 취미 기호에 대해서는 나 역시 아주 결백하다고는 할 수 없는, 말할 수 없는 업이 있다고!

"아가씨, 인품이 첫 번째라 집안은 도외시했지만 혼례 날에는 폐하께서 영지를 하사하시니 안심하십시오. 후견인 선정 전인 이른 단계에 신상서를 보내온 인물들은 모두 아가씨를 진심으로 경애하고 성심성의껏 지켜주겠다는 서약서까지 첨부해주신 훌륭한 분들이라 안심이지만, 최근에 신상서를 보내온 인물들은 문제가 있었습니다. 폐하께서도 그 점을 걱정하시는 모양으로 저에게 속속들이 증거를 잡아 반드시 공식성상에서 제시하라고 말씀하셨습니다."

"그, 그래? 너무 위험한 일은 하면 안 돼. 할아범."

—다행이다.

동인지를 직접 만들기 전이라서 다행이야……!

할아범의 치트 낌새는 눈치채고 있었지만 소행 조사까지 하는 줄은 몰랐다. 성벽까지 파헤쳐지면 살아갈 수 없다.

나의 천사 아란에게 들키면 흑장미, 살아갈 수 없어!

"과연. 몇 번인가 저택에 침입자의 흔적이 있었던 건 마르크였던 건가."

"흠. 소행 조사였군."

"폐하께서 두 분이 어쩌면 로리콘이라는 불치병을 앓고 있을지도 모른다고 의심하셔서 성벽이나 흔적을 살폈습니다."

"나는 로리콘이 아니야."

"로리콘이 아니야. 무례하군."

콤마 0초의 기세로 림 도사님과 마리우스 선생님이 할아범에게 따졌다.

그건 당연해요. 로리콘 같은 불명예스러운 딱지는 필요 없는걸. 하지만 백부님도 참, 어디를 어떻게 오해하면 이 두 분을 로리라고 생각할 수 있을까.

"네. 그런 것 같아서 안심했습니다. 오히려 수많은 여성의 유혹에도 넘어가지 않고 지난 12년간 그야말로 청빈한 규중의 아가씨와도 같은 성 활동에 폐하는 물론이고 저도 감동했습니다. 견실하시다고."

뭔가 쌓아왔어. 할아범도 참 과잉보호라니까.

"할아범도 백부님도 두 분께 실례예요. 이렇게 훌륭하신 선생님들이 어디에 있다고요."

"그 억압된 성욕이 어디로 향하고 있는가가 문제예요. 누님."

"그래. 단번에 향하는 방향이 그녀 한 명인 건 위험해."

"뭐?"

아란이 상당한 독설을 내뱉은 것에는 놀랐지만 틈을 두지 않은 크르트 님의 대답에도 놀랐다. 호흡이 척척 맞는다.

"……그래서 여기까지 왔어. 반드시 지켜."

"응원하고 있어요. 선배."

아, 잠깐. 크르트 님과 아란이 서로를 응시하면서 뜻을 나누는 엄청 좋은 분위기였다.

내 잿빛 뇌세포, 일해라! 시신경에서 수집한 정보를 빠짐없이 기록해. 망상의 꽃을 피우는 걸 잊어선 안 되니까 말이다.

"……아들아. 너 아직 신부에게 승낙을 못 받은 거냐. 나는 당연히 승낙을 받았다고."

"정식으로 구혼했지만 좀처럼 진지하게 받아들여주지 않아서요. 하지만 제 신부는 그녀뿐이에요."

"……못 들은 척할 수 없군요. 누가 누구의 신부인데요?"

"뭐야, 마리우스. 자네도 구혼자 중 한 명인 게야?"

"……네. 여러 번 편지로 구혼했지만 진지하게 받아들여주지 않아서 난감해하고 있어요."

"굳이 말하자면 아버지, 어머니 대신이었으니 아가씨에게는 어렵겠지요. 특히 마리우스 님은."

"마르크. 아픈 데를 찌르지 마."

오른쪽도 왼쪽도 코피가 터질 것 같은 흐뭇한 분위기였다.

하지만 림 도사님이나 마리우스 선생님이나 무슨 말을 하는 거야.

그렇게 말하면 마치.

"어머, 호호호. 마치 다들 저에게 구혼하시는 것 같네요."

아, 큰일 났다. 나도 모르게 툭.

질렸을까. 흑장미도 참, 무슨 말을 하는 거야.

악역을 피했어도 역시 가꿔왔던 악의 꽃은 화려하게 피어나는구나.

저봐, 다들 어이없다는 표정으로 나를 보고 있어. 으아아, 이건 웃음 포인트라고!

"······새삼스럽게 뭘 당연한 말을 하고 있어. 사촌 누이."

"전하?"

"지난 12년······ 아아, 너에게는 3년인가. 이들은 여러 번 서한으로 구혼했었잖아. 이제 애태우는 건 그만둬. 애초에 이곳에 오는 인원을 선발할 때의 치열함이란······ 혼자 말을 타고 드래곤 소굴에 쳐들어가는 게 훨씬 쉬울 거라고 말해진 총력 리그전이었다고. 뭐, 나는 아버지의 대리인, 아란은 가족이라서 선발에는 참여하지 않았지만. 설마 크르트가 이렇게까지 해줄 줄은 몰랐어. 순조롭게 간다면 딕섬 공자인 나월이나 비알일 거라고 생각했었어."

서한이라면 그건가요. 해마다 몇 통인가 왔던 편지?

림 도사님의 편지는 저의 완벽한 가정부 스킬을 칭찬해주시는 거라고 생각했다. 확실히 단순히 가정부에게 보낸 편지치고는 열기가 담겨 있다고 생각했지만. 네가 만든 요리가 그리워, 는 가정부가 그리워, 를 잘못 쓴 게 아니었을까. 왕도에 돌아가게 되면 너를 데리러 가겠다는 말도 있었는데 그건 일을 이어서 해달라는 요청이 아니라 구혼이었을까.

마찬가지로 마리우스 선생님의 편지는 네가 엘프 마을에서 불편하진 않은지 걱정이다, 라는 내용이었다. 당연히 어설픈 제사의 집안일 스킬을 걱정하는 거라고 생각했다. 네가 쾌적하게 지낼 수 있도록 나는 저택을 정돈하고, 네가 언제나 웃을 수 있도록 몸과 마음을 지탱해줄 준비가 되었다, 로 끝맺어진 편지는 단순히 가정부의 진화를 바라는 거라고 생각했다. 마리아 선생님을 능가하겠다는 말은 혼자서 은하에 쳐들어가겠다와 동의어라며 두려움에 몸을 떨었다.

그리고 비알 달폰에게서는 짤막한 편지가 왔었다.

네가 없으니 왕도가 조용해서 따분하다거나 아무리 실력을 닦아도 너와 함께 왕도를 누비던 그날 같은 고양감은 느껴지지 않는다거나. 언제 돌아오냐. 내 검을 바칠 상대를 찾을 수 없다, 라고 불평을 적어 보냈던 것 같다. 그렇게 말해도, 대기소에 가면 반드시 아름다운 언니와 친밀한 대화를 나누고 있거나 몸매가 좋은 언니의 가슴에 얼굴을 파묻고 즐거워했잖아.

위로가 필요하다면 언니들에게 어리광을 부리라고 생각했다.

나월은 근황을 짧게 써서 보내왔다.

착실히 계급을 올려가는 모습은 편지로도 현장감이 넘쳐서 재밌었어.

뭐, 계급으로 말한다면 더 이상 올라갈 방법이 없는 공작가의 적자이지만, 소년은 최고를 동경하는 법이니까. 언제든지 와. 어머니가 기다리고 있어, 라고 적혀 있어서 「가내 안전」 「무병 식재」 「용자 단련」를 수놓은 부적을 어머니 앞으로 선물했다.

사촌 남동생은 변함없이 내려다보는 시선으로 자기 자랑이 8할을 차지하는 편지를 보내왔었다. 늘 방어 마법에 치우쳐 있었지만 언젠가 아란 덕분에 방패의 진을 공격에 사용할 수 있는 기술을 떠올리게 됐다고 써 보낸 적이 있었다. 공격 마법까지 익힌다면 나는 대단해라는 사고방식이 더욱 심해질 것 같아서 우리 천사에게 겸허히 배움을 청하라고 다짐을 두었다.

그 아란은 읽으면 애달파지는 편지뿐이었다. 애초에 글씨를 예쁘게 써서 성장 곡선을 눈치채지 못했다.

누님, 건강하세요? 곤란한 점은 없으신지요. 부족한 것은 없나요? 등 온통 내 걱정뿐으로, 기다려라, 반드시 데리러 간다, 라고 적힌 편지는 지금도 보물이에요.

크르트 님은 편지가 아니라 행선지의 꽃이나 잎을 눌러 말린 것을 보내줬다.

소설에서는 절어어어얼대 있을 수 없는 전개에 가슴이 옥죄어드는 기분을 맛봤다. 너무 놀라면 숨이 잘 쉬어지지 않는다는 것을 알았다.

지금까지 받은 말린 꽃은 조금씩 모아 붙여서 한 장의 그림을 만들었다.

릴렌이 보내온 편지는 기뻤다. 여자아이와 주고받는 편지라니 두근거렸다. 연애 상담을 해오면서 내가 좋아하는 사람이 누군지 물어서 곤란했다.

아란에 대한 미련은 없는 듯해서 안심했지만 릴도 행복해졌으면 좋겠다.

그리고 아트페의 어머니들.

감기에 걸리지는 않았는지, 몸이 상하지는 않았는지, 잘 챙겨 먹는지, 위험한 일은 없었는지, 매일 새로운 편지가 도착했다.

황송하게도 왕비님과 공작부인과 영애, 재상 각하의 따님, 장군 각하의 부인에게서 온 편지도 있었다.

모두가 적어주신 말은 언제나, 건강히 지내나요.

내가 쓰는 답장은, 늘 감사해요, 뿐.

다 갚을 수 없는 은혜만이 쌓여갔다.

"사촌 누이. 이대로 조용히 지내고 싶었을지도 모르지만 네가 부여받은 능력은 각 방면에 영향을 미치고 있어. 너를 지키기 위해서, 적어도 누군가의 비호 아래 들어갔으면 해."

사촌 남동생이 그런 말을 꺼냄으로써 주위를 에워싼 남성진의 눈빛이 달라졌다.

"엘로즈 양, 당신의 기억 속에 있는 나는 미덥지 못한 아이겠지. 하지만 지금은 다르단 걸 증명해보이겠어. 부디 나에게 기대줘. 이번에야말로 내가 당신을 지킬 수 있게 해줘."

크르트 님이 애절한 눈빛으로 응시해왔다. 순간 사랑이라고 착각할 만큼 진지한 눈빛이다.

크르트 님은 갈 곳 없는 나를 가엾게 여기시는 것뿐인데. 게다가 사랑하는 연인의 단 하나뿐인 육친이니 책임감 강한 크르트 님이 연인과 함께 거두려는 거예요. 우리는 가족 — 확정 — 이니까.

"엘. 너는 훌륭한 여성이야. 꿋꿋하게 앞을 향해 나아갈 길을 모색하는 네 모습에 마음을 빼앗겼어. 네가 앞으로 나아갈 길을 알고 싶어. 너와 함께 걷게 해주지 않겠니."

림 도사님이 그 시절처럼 타일러 가르치듯 말을 더했다.

"로즈. 미래를 너에게 바치고 싶어. 네 옆에서 함께 시간을 보내고 싶어."

마리우스 선생님도 다그치듯 애절한 눈빛을 던졌다.

뭐야 이 눈부신 함정은.

항간에 유행하는 역전 현상, 악역 여주인공 까호이거나 나쁜 결말 회피에 성공했다며 기뻐 날뛸 것이다.

그리고 내 생의 봄날과 함께 꽃미남들에게 둘러싸여 왕도로 개선할 것이다.

하지만 악역은 어차피 악역밖에 될 수 없다. 아무리 품행방정하고 공명정대하게 행동해도, 플래그를 피했다고 생각해도, 함정이 준비되어 있는 것이 악역이 악역인 이유니까 말이다.

분명 지난 12년 동안 총명하고 다정하신 두 분은 아란의 행복을 위해 물러났던 거다. 어쩌면 사랑을 깨닫기 전이었을지도 모르지만.

모르는 사이에 두 분은 나에게 아란을 투영했는지도 모른다.

귀염둥이 꽃미남 아란과는 전혀 닮은 구석이 없는 나지만 어디 한군데 아주 작은 공통점이 있을 것이다. 아마도.

"로즈, 단지 널 원해. 내 곁에 있어주지 않겠어?"

"부탁한다. 엘. 네가 꾸는 꿈을 함께 꾸게 해줘."

그런 간절한 눈으로 보지 마세요.

나에게서 아란의 모습을 본다는 걸 알아도 그 눈빛이 강하면 강할수록 원하는 사람이 나라고 착각하고 말아요.

그런 꼴사납고 우스운 꼴을 당신들에게 보이고 싶지 않아요.

"그 정도로 해둬. 엘로즈가 곤란해하잖나."

"할아버지."

"젊은 처자에게 구애하는 것도 좋지만 좀 더 상대방의 마음을 생각해주게."

"이렇게까지 꼬인 건 할아버지 때문이기도 하다고요."

사촌 남동생!

수상한 눈빛을 한 사촌 남동생의 지적에 당사자인 할아버지가 눈을 감고 한숨을 내뱉었어요.

"그래. 모든 것이 내 잘못이다."

할아버지!

할아버지가 눈이 부신 듯 가늘게 뜬 눈으로 나를 응시하며 담담히 말을 이었다.

"미안하다, 엘로즈. 변명밖에 안 되겠지만 나는 너를 잘못 봤었다. 넌 나의 비호를 고맙게 생각하는 모양이지만 그건 잘못됐다. 내가 좀 더 빨리 네게 손을 내밀었다면 네가 이렇게까지 사람을 거부하진 않았겠지."

쿵, 하고 가슴에 퍼지는 묵직한 목소리였다. 하지만 나는 사과받을 만한 일을 당한 기억이 없다.

"하……할아버지가 괴로워하실 일이 아니에요. 할아버지가 그 당시 보고 느끼신 일은 옳았어요."

실제로 세 살까지 나는 대단해, 나는 천재야! 라며 어머니에게 물려받은 선민의식에 사로잡힌, 차마 봐줄 수 없는 오만한 아가씨였다.

"하지만 나는 가장 도움을 줘야 할 때 방관했어. 네가 큰일을 당했을 때도 일체 손을 뻗지 않고 수수방관했을 뿐이었다."

사촌 남동생이 태어났을 무렵부터 여섯 살까지는 서바이벌이었죠……. 주위에서 오냐오냐 떠받들던 사람들이 그날을 경계로 싹 사라진 것은 충격이었다.

할아범이 없었다면 꼼짝없이 굶어 죽었을 거다.

그러니 할아범을 보내준 할아버지는 생명의 은인이다.

"방관했다고 말씀하지 말세요. ……부모를 보면 포기하는 것도 당연해요. 시대의 왕이 아니라고는 해도 할아버지의 영향력은 끝이 없어요. 할아버지가 나설 낌새를 보이셨다면 그 무렵에 꿈틀댔던 자들은 도망쳐 숨었겠죠. 숨어서 더 음습하게 이 나라를 좀먹었을 거예요. 그러니까 괜찮아요."

빙긋 미소 지으며 단언하자 할아버지가 고통스러운 얼굴로 나를 바라봤다.

"역시 너는 내게 사과할 기회도 주지 않는구나."

"사과라뇨. 할아버지가 어떻게 생각하시든 저는 할아버지께 도움을 받았어요. 사과받을 마음이 없는 게 아니라, 사과받을 필요가 없는 거예요. 할아버지는 아클라우스가에 할아범을 보내주셨잖아요? 할아버지가 할아범을 보내주신 덕분에 저는 훌륭한 가정교사 선생님들을 만날 수 있었어요. 귀찮은 사교계에 진출하지 않고 마음 편히 아란과 지낼 수 있었어요. 아버지와 어머니 일은…… 유감이지만요."

"엘로즈……."

할아버지가 몹시 감격한 듯 얼굴을 일그러뜨리고 나를 바라봤다.

"거봐. 내가 말한 대로구먼. 역시 우리 며느리야."

"누가 자네 집 며느린가!"

"흥. 사과해서 편해질 생각일랑 말어. 말로 사과하는 건 쉬운 일이지. 너는 지금까지처럼 말이 아닌 태도와 행동으로 사죄의 뜻을 보이면 돼. 저돌파는 저돌파답게 말이지. 이제 사죄놀이는 관둬. 우리 며느리가 곤란할 뿐이니까."

"그러니까 누가 자네 집 며느리야!"

이러쿵저러쿵 익살맞은 재담을 펼치던 이장님의 말씀에, 나는 무심코 짝 손뼉을 쳤다.

"어머, 할아버지. 이상하리만치 발걸음이 가벼우시다고 생각했었는데 역시 무리하신 거군요!"

"아니다, 나는 무리하지 않았어. 엘로즈! 너를 도울 수 있어서 기쁘다."

해안가의 엘프 마을은 무지 멀다. 하지만 천일염 덕분에 간수를 얻을 수 있어서 두부 양산 체제가 갖춰졌고 각종 해조류를 가져와 주신 덕분에 우무를 만들 수 있었다.

"뭐든 부탁해도 된다. 나도 언제까지고 마르크에게 지고 있을 수만은 없으니까."

─왜 거기서 할아범이 나와.

뭐, 분위기도 부드러워졌으니 나도 할아버지의 말에 편승했다.

아가씨 레벨 카운터 스톱의 실력을 보라구!

"……할아버지도 참. 할아범은 할아버지가 시키는 대로 행동하는 것뿐인걸요?"

밝고 명랑하게, 분위기를 띄우듯이 천진난만하게. 규중의 영애답게 미소 지어 보였다.

─어째서 다들 뚫어지게 쳐다보는 거야.

'전폭적인 신뢰를 얻고 있는 건 마르크뿐인가……'

─그리고 왜 한숨을 쉬는 거야.

……그게 어제의 일이었다.

머리를 식힐 시간을 얻어 다른 날 다시 모두와 만나기로 했다.

현재의 나를 몰라서 한 구혼인가 생각해서, 현재 상황 소개를 겸한 식사 자리를 마련했다.

상에 올릴 요리와 조리법을 생각해서 상을 차렸다.

지금 내가 대접할 수 있는 최고의 요리를 대접했다.

엘프 두부 요리는 정통적으로 식혀서 한 가지, 데쳐서 한 가지, 체에 걸러서 한 가지, 튀겨서 한 가지, 구워서 한 가지, 으깨서 채소를 섞어 튀긴 것 한 가지, 싸서 찐 것 한 가지로 다양하게 변형했다. 천일염과 된장이 대활약을 해줬다.

낯선 요리를 모두가 눈을 크게 뜨고 쳐다봤다.

엘프 세 명과 할아버지에게는 채소 요리를, 한창 먹을 때인 청년 세 명에게는 해산물과 육류를 따로 조리해서 내놨다. 엘프 마을에 온다고 해서 그들이 고기와 유제품을 챙겨온 덕에 만들 수 있었다.

곁들임 음료는 와인이 아니라 올해 갓 출고한 청주였다.

엘프 마을에서 와인을 만드는 댁에서 이리 미를 사용해 술도 양조해줬다.

시음자로는 최고의 대상이었다. 아무렴 왕족이니까 말이다.

식전주로 제공한 청주는 놀란 반응과 함께 받아들여졌다.

"……맛있어."

그렇지. 그렇지.

만든 사람으로서 순수한 칭찬을 듣는 것은 기쁠 따름이었다.

"목 넘김이 탁월한 술이군. 이걸 엘이?"

"네. 다들 도와주신 덕분예요."

"호. 맛있어. 사촌 누이, 실력 좋은데?"

"역시 누님이세요!"

"……정말 깊은 맛이야."

후후후. 쌀을 정제하고 또 정제해서 빚었으니 혀에 닿는 느낌도 부드럽고 스륵 넘어가죠. 물도 효모도 최고로 신경 쓴 일급품이에요!

"이건 제조법을 비밀로 해야겠군……."

할아버지가 잔을 기울이면서 중얼거렸다.

"할아버지, 입맛에 맞으세요?"

"그야말로 천상의 물방울이다. 훌륭해."

우와. 확실한 보증을 얻었다.

"……로즈. 너는 안 마시는 게냐?"

"저는 미성년자인걸요."

아란 일행은 마실 수 있지만 나는 아직 마실 수 없었다. 음주는 스무 살부터였다.

"로즈는 이미 성인이야. 결혼도 할 수 있는 나이지."

"아."

빨라! 이 세계의 성인, 빨라!

나는 엘프 마을에 틀어박혀 있는 사이에 성인이 된 모양이다.

그 사실에 놀라자 대강 접시를 비운 할아버지가 한 손에 잔을 들고 말했다.

"젊은 처자는 즐기는 정도면 돼. 게다가 엘로즈는 이제 막 성인이 됐어. 아직은 일러."

다들 납득했는지 그 이상은 권하지 일도 없어, 나는 술안주를 보충하는 데 열중했다.

한바탕 술과 요리를 즐긴 분들이 얼굴을 들었다.

"나도 현 폐하도 너를 나라를 위해 이용할 마음은 없다. 후견인 후보에 이름을 올린 가문도 마찬가지고. 너는 네가 좋아하는 남자에게 시집가면 된다. 너는 이 나라를 위해서 충분히 활약해줬어. 사랑하는 손녀에게 이 이상 심한 짓을 할 수 있겠느냐."

놀라서 말도 나오지 않았다. 나를 보며 한 번 웃은 사촌 남동생이 잔을 기울이며 뒤를 이었다.

"나도 같은 의견이야. 사촌 누이, 이제 슬슬 체념하고 누구의 후견을 원하는지, 누구에게로 시집갈 건지 결정해줘. 그리고 가능하면 네 혼례는 우리가 거행하고 싶어. 아버지도 어머니도 그러길 바라시고."

지금 정하라니 말도 안 돼.

"저, 저는 나라를 위해서 혼인할 생각이었어요. 최대한의 양보를 이끌어내는 게 사명이라고 생각했기 때문에 사랑 같은 건 도저히."

죄인의 딸이기에 거부권은 없는 거나 다름없다고 처음부터 체념했었다.

배드 엔딩이 아닌 것만 해도 다행이라고. 게다가 왕가, 공작가, 재상가, 장군가 어디에서 받아준들 아무런 득이 될 게 없다. 득은 커녕 귀족이나 파벌 간에 쓸데없는 알력을 만드는 원흉이 될 가능성도 있다.

"……백부님이나 딕섬 공, 재상 각하, 장군 각하의 제의는 정말 영광스럽고 황송해요. 하지만 저 같은 수녀 출신 계집을 받아들인다 해도 쓸데없는 알력을 만들 뿐이에요. 후견인 이야기는 못 들은 걸로 할게요."

할아버지 옆에서 조용히 술을 마시던 이장님이 말했어요.

"음. 엘프족에게 식사의 즐거움을 가르쳐준 은인이 함부로 취급 받는 걸 가만히 보고 있을 수는 없지. 로즈에게 트집을 잡는 자는 우리 엘프족의 적으로 간주한다. 그런 귀족 따위는 필요 없겠지. 목을 자르는 데 마침 좋은 기준이 되겠어."

"오오. 그거 좋군."

"그렇지."

"할, 할아버지. 이장님."

의기투합하여 술잔을 주고받는 두 사람의 모습에 당황하는데 아란이 끼어들었다.

"누님은 모두가 원하는 게 당연한 분이니 각 방면에서 혼인 제의 가 들어오는 건 당연해요. 하지만 후견인의 이름을 듣고 제의하자 고 생각한 멍청이들에게 볼일은 없어요. 더욱이 마음으로 통하려 는 노력도 하지 않고 힘을 빌려 제안하는 상대 따위…… 내가 용서 하지 않아요."

"……아란."

―누나를 심쿵사하게 만들 작정인가!

무심코 두 손으로 가슴을 누르고 끙끙거렸다. 하마터면 전사할 뻔했어요. 주인공의 능력, 장난 아냐.

누나가 잘못 생각했었어. 정략결혼의 수단이 될 의욕 만만이었는데 반성해.

한 치도 양보하지 않고 상대로부터 백 만 개의 이익을 받아내려는 의욕 만만이었지만, 아란이 그렇게 말한다면 정략결혼을 생각하는 건 관둘게! ……오히려 바가지 씌우는 것만, 바가지 씌워주겠다는 생각뿐이었지만 아란이 말한다면 다른 방법을 모색해서 나라에 공헌할게!

"누님은 행복해져야만 해요. 저로서는 크르트 선배가 가장 신뢰할 만한 분이라고 생각해요."

"어머, 크르트 님은 아란 거잖아?"

"네?"

고개를 갸웃하는 아란. 너무 귀여워.

"험난한 사랑에는 으레 난관이 따르게 마련이지만 괜찮아. 난 계속 두 사람 편이야."

"……누님?"

"사랑? 사람? ……사, 사, 사랑?"

"아니면 역시 세간적으로 위장이 필요하나? 그런 거라면 나 할아버지께 보증도 받았고 시집갈 목적도 없으니까 기꺼이 두 사람의 방파제가 될게!"

정략결론이 없다면 한 번은 거절했던 아란의 후견을 받아들여 아란의 집에 가는 것도 좋고, 크르트 님의 구혼을 받아들여 크르트 님의 집으로 가는 것도 좋다.

그러면 나도 번거로운 결혼에서 벗어날 수 있고 무엇보다 두 사람이 누구의 눈치도 보지 않고 서로 사랑할 수 있다.

게다가 두 사람은 하급 귀족이라고는 해도 전하의 총애를 받는 독신 귀족. 단 둘만의 시간을 즐기고 싶어도 세간적으로 두 사람은 승승장구할 게 틀림없다. 육식수로 변해 두 사람을 노리는 귀족 영애들을 피하기 위해서라도 이 제의는 받아들이는 게 좋을지 모른다.

"저기 무슨……."

"모든 장애물을 극복하고 맺어진 두 사람을 위해서 이 엘로즈가 두 팔 걷어붙이기로 했어. 안심하고 맡겨줘!"

아란을 올려다보며 그렇게 선언했다. 누나한테 맡겨!

"안심은 개뿔."

"아아아아아! 뭐… 뭐하는 거예요. 사촌 남동생! 아, 전하! 아아아 아아아 아아아 아아아!"

소리도 없이 몰래 다가온 사촌 남동생이 두 주먹으로 내 머리 양옆을 꾹꾹 눌렀다.

머리가 깨질 것 같아서 도망치려 해도 단단히 붙잡혀서 더 꾹꾹 눌렀다.

"……너 대체 무슨 착각을 하는 거야?"

"보답받지 못하는 연인들이 안락한 공간을 제공받아 편히 쉬길 바란 것뿐이에요."

눈물을 글썽이며 노려보자, 얼음처럼 싸늘한 눈동자가 나를 내려다보았다. 히익!

**"누구랑 누가 보답 받지 못한 연인이라고?** 어째서 그런 생각을 하는데!"

"어머, 전하……."

역시 사촌 남동생. 소꿉친구의 연애가 그렇게 걱정되는 거야? 하고 뚫어지게 올려다봤다.

그리고 희미한 미소를 지었다.

어머, 빨개졌어. 후후후, 전부 말하지 않아도 돼. 동지.

"전하. 저도 남색에 대해서라면 어느 정도 이해하고 있으니 숨기실 거 없어요."

순간, 모든 소음이 사라졌다. 모두의 호흡마저 앗아간 듯했다.

어라?

"너 어디서 그런 말을 배운 거야아앗!"

꾸꾸꾸꾸꾸욱.

"아아아 아아아 아아아 아아아앗!"

격노해서 머리 꾹꾹 누르는 사촌 남동생을 누가 좀 말려줘!

아! 할아범! 눈을 피하지 마아앗!

주먹 꾹꾹형을 사촌 받고 남동생에게 주로 숙녀의 마음가짐에 대해서 약 한 시간 동안 설교를 당했다.

사촌 남동생은 울분을 풀 길 없어 하는 분위기였지만.

"오해해도 어쩔 수 없는 일인가."

비장한 얼굴로 할아버지가 중얼거리심으로써 설교는 종료됐다. 해방감이 들었다.

"할아버지?"

"……그 아이의 밝힘증은 도가 지나친 데가 있었어. 그 아이의 남편에 이르러서는 나이 성별을 불문하고 아름다운 것을 괴롭히는 잔혹한 속물이었어. 어릴 때부터 그런 부모를 봐오면 오해하는 것도 어쩔 수 없지."

주로 스스로에게 이야기하듯 고뇌에 찬 표정으로 할아버지가 말씀하셨지만.

……전생에서 훌륭하게 타락했었다는 말은 못 해. 게다가 이번 생에서 더 타락하고 있다는 말은 더더욱 못 해.

"주인님. 한 말씀 올려도 되겠습니까."

할아범의 말에 할아버지가 천천히 끄덕였다.

"그 무렵, 아가씨의 생활환경은 한마디로 열악 그 자체였습니다. 부모의 의무를 저버리고 색욕에 빠져 즐기는 모습을 매일 목격하고, 저택 안에서 보호받아 마땅한 어린 아이가 어른들의 교활함과 추악함을 매일 목격해야 했습니다. 게다가 부친에 이르러서는…… 아뇨, 아가씨가 그런 오해를 하는 것도 어쩔 수 없는 일이라고 생각합니다."

"짐승 같은 자식."

분노로 가득 찬 할아버지가 내뱉듯이 돼지를 욕했다. 입에 담기에도 끔찍하다고, 그 말투에서 느껴졌다.

……말 못 해.

아란을 상대로 각종 색남으로 망상했다는 건 입이 찢어져도 말못 해.

크르트 님은 곤혹스러운 표정의 아란과 눈을 마주치고는 어깨를 움츠리며 한숨을 내뱉었다.

그리고 쓴웃음을 지으며 나에게 말했다.

"역시 좀 더 일찍, 겁먹지 않고 당신에게 나를 알려야 했어."

"선배."

"크르트 님?"

내가 무서웠다고 말씀하시는 건가?

무심코 얼굴을 빤히 쳐다보자 훗, 하고 웃은 크르트 님이 내 앞에 무릎을 꿇고 그대로 내 두 손을 잡았다.

뭐지. 어디로 보나 프러포즈 같은 이 구도는.

"……좋아합니다. 엘로즈 양. 당신을 지켜주며 살고 싶어. 당신 옆에 있고 있어. 당신 옆에 있는 사람이 내가 아닌 미래는 보고 싶지 않아."

다정한 눈동자에 때때로 격정적인 빛을 띠며 읊조린 말은 정확히 심장을 꿰뚫었다.

"……그건 저를 자기 것으로 만들면 아란을 얻을 수 있다는 발상—"

"이 아닙니다."

단박에 부정당하고, 잡은 손을 더욱 꽉 잡혔다. 그 손에 크르트 님이 이마를 붙였다.

"크, 크르트 님?"

"계속…… 당신을 좋아했습니다."

크르트 님이 그 자세 그대로 움직이지 않았기에 도움을 청하듯 아란에게 시선을 던지자 아란이 살짝 싸늘한 눈으로 나를 봤다.

아, 잠, 잠깐만 아란? 그런 싸늘한 눈으로 보면, 누나 울지도 몰라!

"크르트 선배는 진심이에요. 그리고 누님. 저는 남자와 사귄 적은 한 번도 없어요. 어째서 그런 황당한 오해를 했는지 묻고 싶을 정도예요."

그야 타락했으니까. 게다가 현재 진행형으로 타락 중이니까.

―그렇게 말할 수 있었다면!

하지만 다시 생각해보면 흑장미가 흑장미로서 행동하지 않아서 일어난 현상인 게 틀림없다. 소설에 변화가 생기는 건 어쩔 수 없는 거다.

앞으로 어떤 영향을 미칠지가 문제다.

그래, 앞으로……. 그래…… 귀부신은 존재하지 않는 건가…….

잠시 넋을 놓고 있다가 반응이 늦고 말았다.

어느새 크르트 님뿐만 아니라 림 도사님과 마리우스 선생님도 양옆을 에워싸고 있었다.

두 손은 여전히 크르트 님에게 잡힌 채였다. 그 와중에 림 도사님이 내 허리를 감싸며 왼쪽 귀에 속삭였다.

"엘. 행복하게 해주겠다고 맹세해. 네 곁에 있고 싶어."

림 도사님의 목소리에 딱딱하게 굳어 있자 이번에는 오른쪽 귀에 마리우스 선생님의 목소리가 들렸다.

"로즈. 앞으로도 너와 함께 있고 싶어."

크르트 님은 여전히 내 두 손을 잡은 채로 애달픈 눈빛으로 올려다봤다.

가슴이 찡해지는 훌륭한 장면이다.

하지만 전방은 크르트 님, 양쪽은 림 도사님과 마리우스 선생님이다.

이건 역하렘 포위망 아냐? 애달픈 장면일 텐데 어쩐지 등줄기에는 식은땀이.

귀부신이 있다면 아란 총수 앙앙 축제의 주역 공들의 막간 자기소개~ 라며 기뻐할 장면이지만, 아무래도 이 세계는 소설 쪽인 모양이다. 실제로 중심에 있는 건 아란이 아니라 흑장미.

어째서 이렇게 된 거야.

"설마 도사님이 엘로즈 양을 그렇게 생각하고 계실 줄은 몰랐어요. 분명 딸이나 손녀처럼 대하시는 건 줄 알았거든요."

빙긋 웃는 크르트 님이 무심히 내뱉었다.

저 먼 곳 어딘가에서 전쟁의 종소리가 울렸다.

"엘은 너무 무방비하고 자기 희생이 지나치니까. 눈을 뗄 수 없던 것뿐이야. 엘을 아이로 생각했던 건 인정하지만 훌륭한 여성이 된 지금 다른 남자의 여자가 되는 걸 가만히 보고 있을 리가 없잖아? 나도 건장한 남자니까."

림 도사님이 씨익 웃으며 되받았다.

"젊기만 한 남자가 로즈를 지켜낼 수 있을 것 같진 않아. 나라면 정신적으로나 육체적으로나 지켜낼 수 있어."

마리우스 선생님도 입에서 총알을 쏟아냈다.

"세기 급의 나이 차인데 두 분 모두 어른답지 않군요……."

늙은이는 빠지라는 눈빛으로 크르트 님이 밝게 웃으며 잘라 말했다.

"그 세월도 엘을 만나기 위해서였다고 생각하면 사랑스러운 거라고~."

림 도사님도 지지 않겠다는 듯 연거푸 말했다.

"과연 연륜은 무섭군요."

"어려서 하는 폭주라고 이해하고 있어. 뭐, 동료와 한 여자를 두고 경쟁하게 될 줄은 몰랐지만."

"진로를 벗어난 건 너잖아. 상대의 기분도 못 헤아리게 된 거냐. 하이 엘프의 긍지는 어디로 간 거야."

"여장 남자한테 그런 말은 듣고 싶지 않아."

싱글거리면서 설전을 벌이는 세 분의 모습에 전생의 기억이 요동쳤다.

그러고 보니 동인지에 이런 이야기가 있었지…….

누굴 선택할지를 두고 다들 아란을 몰아댔었지.

그 와중에 공끼리 서로 견제구를 날리고.

"한 사람의 인생을 책임지는 데 있어서 젊음만으로 모든 걸 보완하기란 어려울 것 같지 않아?"

"세대 간의 의사소통은 그 간극이 멀수록 골이 깊어진다고 해요. 하물며 200년은 떨어져 있잖아요?"

"정보 같은 건 가만히 있어도 모여. 걱정해줘서 고맙다."

……아아 그래. 이런 식으로 달아올라서 누가 가장 아란을 사랑하는지, 가장 어울리는지를 두고 언쟁을 벌였어.

"그녀를 가장 잘 이해하는 건 나야! 그녀의 어떤 모습도 사랑해!"

"가장 사랑하는 건 나야."

"아니, 나야."

그 결과, 누가 가장 아란을 정신 못 차리게 할 수 있는지 — 뿅가게 할 수 있는지 — 로 경쟁했었나. 침대 위에서. 훌륭한 19금이었다. 읽을 만한 가치로 보나 주요 장면으로 보나 훌륭한 작품이었다. 잘 구경했습니다.

"……그럼 엘로즈가 고르게 하죠. 물론 선택받는 건 나겠지만."

"그래. 엘에게 고르게 하자. 부끄러워하는 성격이지만 입장 정리는 필요하니까."

"로즈의 몸과 마음에 가장 영향을 준 사람이 로즈의 반려가 되는 거군. 좋아. 그 도전을 받아들이지."

……응?

"저, 저기. 여러분. 부디 진정해주세요."

잠깐 잠깐 잠깐. 패스 패스 패스!

역하렘 총수 앙앙 축제는 관찰할 때가 재밌는 거라고!

"누님 저는 크르트 선배를 추천하지만 제 진심은 누님이 좋아하는 상대라면 누구와 결혼하든 괜찮아요. 예를 들면 이곳에 없는 비알 씨든 나윌 선배든 누님이 좋다면 어떤 남자든 응원해요. 물론 어설픈 남자는 용납할 수 없으니 나름대로의 실력을 갖춰야겠

지만요."

적어도 나를 상대로 한 방 먹일 수 있을 정도의 실력이 없다면 누님을 줄 수 없어요!

성장한 아란에게 대적할 상대가 쉬이 있을 것 같지는 않은데.

그 이전에 아란, 도발하지 말아줘. 단숨에 세 사람의 의욕이 흘러넘치잖아! 데이터의 측정기가 없어도 활활 타오르는 오라가 보여! 의욕만만한 표정으로 이쪽을 보고 있어!

"사촌 누이. 이제 그만 이들에게 마지막 선고를 해줘. 소원이 이뤄질지 아닐지. 미련이 남으면 단념도 어렵잖아?"

고개를 절레절레 흔들며 어깨를 움츠리는 사촌 남동생에게라도 매달리고 싶은 심정이야.

게다가 마지막 선고를 받는 건 나잖아!

"선배와 두 스승님은 그만한 각오와 의지를 보여주셨어요. 이 사람들이라면 누님을 안심하고 맡길 수 있어요. 그러니 이제 누님의 마음에 달렸어요!"

내 마음에 달렸다니.

변태 영감에게 당하는 것보다는 시각적으로 오케이지만 아웃이야!

"아들아. 새아기는 순진한 처녀이니 다정하고 부드럽게 대하는 게 가장 중요하다."

"알아요."

몰라도 돼!

"후후후! 이런 일이 있을까봐 침대를 새로 들여놓길 잘했구먼!

드워프 장이 손수 만든 용이 누워도 끄떡없는♪ 특별품이지! 네 사람이 밤새도록 운동해도 절대로 망가지지 않으니까 걱정 없어!"

"이, 이장님~~~~!"

그래서 저런 성인 남성이 대여섯 명 올라갈 수 있을 정도로 거대한 침대였던 거냐!

뭘 한 거야. 무슨 짓을 한 거냐고. 이장님!

껄껄 웃지만 말고 좀 말려요, 할아버지!

이건 정조의 위기다!

"뭐 농담은 그쯤하고 너를 맡기에 충분하다고 인정받은 남자들이다. 누구와 평생을 함께할지 진지하게 잘 생각해 보거라. 엘로즈."

"좋아! 누가 선택받을지, 건너편에서 내기를 하자고!"

할아버지와 이장님이 일어나 디켄더를 들고 걸어 나갔다. 그 뒤를 사촌 남동생, 아란, 할아범이 뒤따랐다.

즉시 세 사람을 뿌리치고 뒤따르려고 했더니 꼭 붙잡혔다. 거베라같아. 못 움직이겠어!

마지막으로 요리 접시를 든 할아범이 정중히 절하고 문을 닫고…… 나는 림 도사님과 마리우스 선생님, 크르트 님과 남겨졌다.

문을 뚫어져라 보고 있자 크르트 님과 림 도사님, 마리우스 선생님이 아름다운 얼굴로 들여다봤다.

하지만 속지 않을 거야.

나는 긴장한 표정 근육을 총동원해 근성으로 미소 지었다.

"여러분이 그렇게 저를 걱정해주신 건 감사해요. 하지만 전 아까도 말씀드렸다시피 정략결혼의 수단이 될 생각이었기에 여러분들 중 누구와도 미래를 생각해본 적이 없어요. 저는 나라의 보잘것없는 제물이에요. 그에 비해 여러분은 나라의 중진들이세요. 생각하는 것조차 황공하고 영광스러운 일이라는 걸 알지만, 마음이 움츠러들어요."

곤란해요, 라며 쓴웃음을 지어 보였다. 자, 떨어져라.

"아무도 좋아하지 않는다면 나를 고르면 되잖아? 어떤 너라도 좋아해. 이번에야말로 널 지키게 해줘."

"크르트 님에게 품은 감정은 사랑이 아니에요. 굳이 말하자면 남동생 같은…… 나에게 당신은 예나 지금이나 변함없는 남동생이자 나의 영원한 영웅이에요. 그런 당신에게 몸을 맡길 생각은 할 수 없어요."

크르트 × 아란은 정의야. 귀부신이 존재하지 않는대도 두 사람을 갈라놓는 건 이 흑장미가 용납하지 않아. 아란을 맡길 수 있는 남자는 크르트 님밖에 없다구!

아, 크르트 님이 맥없이 무릎을 꺾었다.

"무관심하다면 체념도 하겠지만 넌 내가 만들어 낸 것조차 거부하지 않잖아?"

"……림 도사님은…… 제가 동경하는 분이세요. 거부 같은 건 할 수 없어요. 옆에 있을 수 있는 것만으로도 좋아요."

설령 어떤 여자가 부인으로 저택에 들어온다 해도 훌륭히 가정부로 일할 것이다.

"변화랄 게 있다면 이전보다 조금 더 친밀해진다는 것뿐이야. 밤에 돌아갈 곳이 수도원이 아니라 우리 집이 되는 것뿐이야."

"마리우스 선생님은 남자로 볼 수가 없어요."

우왓, 어떡해. 그만 본심이 튀어나왔어.

속으로 엄마라고 불렀던 게 화근이야~.

"진심으로 고마웠어요. 부디 저처럼 보잘것없는 여자를 맞이할 생각은 마시고 그 지위에 어울리는 부인을 찾아주세요."

깊이 허리를 숙여 거절의 뜻을 나타냈다.

이들은 나라의 요인. 나라의 꽃이다.

그에 비해 나는 독을 품은 꽃이다.

평민으로 전락한 귀족 아가씨. 그것도 그 유명한 아클라우스의 첫째 딸.

겹쳐질 리 없는 미래를 꿈꿀 수 있을 리 없다.

"……보기 좋게 차였군."

"아무런 반박도 못 하겠어."

"……남동생……."

림 도사님과 마리우스 선생님, 크르트 님이 씁쓸하게 웃었다.

"……하지만 로즈. 넌 단 한 사람만 거절하지 않았다는 걸 알고 있니?"

"……네?"

어라, 세 사람 다 거절했는데?

고개를 갸웃하며 마리우스 선생님이 크르트 님에게 손을 빌려주고 일으키는 모습을 멍하니 보고 있었어요.

"선생님. 한잔 안 하실래요? 함께 마셔주시는 거죠?"

"그래. 술이라도 마시면서 기다릴까. ……로즈는 림과 조금 더 대화를 나누는 게 좋을 것 같군."

"고마워."

"로즈, 네 첫사랑은 끝나지 않았어. 그렇지?"

"마리우스 선생님?"

가볍게 웃으며 크르트 님을 재촉하더니 마리우스 선생님이 방을 나갔다.

그리고 다시 남겨졌어요. 림 도사님과 단둘이.

"엘."

깊이 스며드는 목소리였어요. 무심코 얼굴을 들어 그 수려한 얼굴을 똑바로 쳐다보고 말았다.

"아, 네!"

"네 첫사랑은 끝나지 않는 거냐?"

붉은 장발, 깊고 투명한 푸른 눈동자. 빨려 들듯 강렬한 눈빛. 경애하는 대현자님은 진지한 눈빛으로 나를 바라봤다.

첫사랑 상대는 평범한 보잘것없는 말단 귀족이었다. 결코 눈부신 공략 대상자가 아니다.

"아뇨. 제 첫사랑은 시작되기도 전에 끝을 고했어요. 만약 눈앞에 그분이 계신다 해도 헛된 바람이에요."

만나도 엇갈리고 원해도 이뤄지지 않는다.

"······그 마음을 말로 해주지 않겠어?"

"어머, 선생님도 이상하세요."

까르르 웃자 기도하듯 간청했다.

"그래요. 눈앞에 그분이 계셨다면······ 나를 조금이라도 좋아해 주셨는지 물을 거예요. 만약 나를 좋아한다고 말씀하신다면······ 귀족 지위를 버려주시겠냐고 물을 거예요. 무리겠지만요."

죄인의 딸과 맺어지기 위해서 귀족 지위를 버릴 남자 따위 있을 리 없다.

"그리고 나서?"

"아, 그······그리고 나서요? 저와 함께 평범하게 살자고 할 거예요."

황당무계한 말이라고 웃어넘길 수 있기에 할 수 있는 말도 있다.

만약 기림 선생님이 기림 선생님 그대로라고 해도 그 지위는 높을 것이다. 일에 대한 정당한 대가로서, 고위 귀족인 것은 틀림없다. 그건 간단히 반환할 수 있는 지위가 아니다.

"그래, 그리고?"

"······머, 머리를 자르라고 부탁할 거예요."

"그럼 지금 자르지."

"도사님!"

눈앞의 그 사람은 아무런 망설임도 없이 손가락 하나로 머리카락을 잘라 떨어뜨렸어요.

"엘, 그리고? 네가 원하는 게 뭐야?"

"머, 머리카락 색깔이 달라요!"

"갈색이면 되지?"

숨 쉬는 것보다 자연스럽게 붉은 머리카락이 색을 바꿨어요. 사라졌을 터인 사람이 떠올랐다.

"아……아니에요. 머리카락 길이도 색도 상관없어요. 전 단지 그분을 연모했던 것뿐이에요. 어리고 어리석은 저는 그분이 왕을 섬기는 현자님인 줄 몰랐으니까요! 주변국에 이름이 알려진 분일 줄은 몰랐으니까요. 그래서 현자 같은 대단한 분에게는 시집갈 수 없다고 말하고 싶었어요. 전 죄인의 딸이니까요!"

"폐하께 작별 인사를 하지. 백 년이나 이곳에 머물렀어. 슬슬 다른 곳으로 가려고 생각했었어. 아니면 이대로 여기서 지낼까?"

조금의 망설임도 주저함도 없이 그 사람은 결단했다. 그 흔들림 없는 눈빛에 오히려 무서워졌다.

"안 돼요. 나라의 요인이신 분이 여자의 감언이설에 현혹되시면 어떡해요!"

"그걸로 엘을 얻을 수 있다면 싼 거지."

"도사님! 취하셨어요!"

"그래. 취했어."

기쁨에. 라고 도사님이 속삭였다.

"아니에요. 제……제가 좋아하는 분은 기림 선생님뿐이에요. 화려한 미모의 엘프에게 볼일은 없어요!"

과감히 거절했는데 점점 거리가 좁혀져서 그 기세에 짓눌리듯 뒷걸음질 쳤다.

"오해야. 나는 단순한 남자야. 사랑하는 상대가 돌아봐주지 않아서 다급해진, 한심하고 어리석은 남자일 뿐이야."

뒤가 벽뿐인 상황까지 내몰려서 왼손으로 벽치기를 당했다.

평범한 소녀들이 군침을 흘릴 이상적인 시추에이션이지만, 궁지에 몰린 사냥감이 된 기분이었다.

게다가 그대로 포옹당해서 숨을 쉴 수 없었다. 거부, 거부를…….

하지만 몸은 정직했다. 머리로 피가 쏠려 홍당무가 되고 말았다.

"엘. 귀에 키스해도 돼?"

"아……."

귓가에 속삭이는 건 반칙이다. 허리에 영향을 준다. 거절해야 하는데 허리가 떨려서 힘이 들어가지 않았다.

"엘. 기림이라는 이름은 같은 엘프밖에 모르는 이름이야. 내가 인간계에 내려와서 처음으로 인간에게 바친."

너뿐이야, 라고 오른쪽 귀에 속삭임과 함께 뜨거운 숨결이 내려앉았다. 몸이 달아오르는 걸 멈출 수가 없어. 귀를 깨무는 레벨이 너무 높아서 따라갈 수가 없었다.

"이름을 불러주지 않을래. 엘로즈…… 네 허락을 원해."

귓가에 속삭이고 귓불에 쪽, 하고 키스했다.

귓가에 속삭일 때마다 허리가 움찔하는 것도 들켰을 것이다.

"엘로즈…… 이름을 불러줘."

결국에는 귓불을 깨물리고 귀에 몇 번이고 키스를 당하고 혀끝이 파고들어 귀를 깨물고 핥아서 허리는 움찔거리고 머리에 피가 쏠려 휘청거리는 상태에 빠졌다.

나는 거절하자는 사실을 잊고 말았다. 그 정도로 고조되고 흥분할 만큼 행복했던 것이다.

그야 포기했었던 그분의 품 안에 있었으니까 말이다.

몇 번이고 사랑스럽다는 듯이 이름을 불러주셨다.

몇 번이고 이름을 불러달라고 조르셔서 그만 잠꼬대처럼 "기림 선생님." 하고 중얼거렸다.

다음 순간 기림 선생님이 더욱 강하게 끌어안고 귓불을 마음껏 희롱했다.

희롱당한 건 귀뿐인데 완전히 다리에 힘이 풀렸다.

―아란, 귓불을 깨물려서 몸을 가누지 못하게 되는 건 엘프만이 아니라 인간족도 마찬가지인 모양이야.

***

"샤캬캬캬캬캬캬캬."

……평소처럼 거베라의 우렁찬 외침에 잠에서 깼다.

하지만 오늘 아침은 조금 달랐다. 역사상 최고로 행복한 기분이었다.

왜냐하면 기림 선생님에게 설득당해서 서로를 사랑하게 됐으니까 말이다.

꿈은 아니겠지. 볼을 꽉 꼬집어봤다.

용솟음치는 욕망과 뜨거운 열정의 성과인지 기억 속의 기림 선생님은 색기가 뚝뚝 떨어져 제대로 서 있을 수도 없을 정도였다. 그건 에로 엘프의 특성 발휘 버전이다.

그 애달픈 곁눈질.

나를 끌어당기는 팔의 강인함과 속삭이는 목소리의 진지함은 돌이켜 생각하면 할수록 심장이 두근두근 축제를 벌였다.

그리고 허리까지 움찔하게 만드는 그 미성! 그 목소리로 사랑을 속삭이다니. 넘어가지 않을 남녀는 없을 것이다.

"엘."

그래요. 이런 식으로 사랑스러워서 견딜 수 없다는 목소리로 이름을 불렀다.

몸을 가누지 못하게 되는 것도 어쩔 수 없었다.

내 이름을 부르고 다정하게 가늘어진 눈빛으로 나를 보며 귓가에 사랑을 속삭였다. 무자각하고 야한 미남 엘프의 진지한 미소가 바로 앞에서 작렬했다. 그건 심장도 멈췄다. 아아, 뇌수를 갈라서 기억 매체에 그 미소를 영구 보존하고 싶어.

……라며 어제의 기억에 잠겨 있는데 미남 엘프의 눈부신 미소가 눈앞에 나타났다.

"좋은 아침. 잘 잤어?"

"히얏."

어제의 귀 애무로 단숨에 성감대로 눈뜬 그곳에 속삭이는 건 반칙이다.

눈앞에서 고개를 갸웃하며 나를 들여다보는 림 도사님의 얼굴을 보고 하마터면 코피를 뿜을 뻔했다.

황급히 몸을 일으켰지만 가운 한 장뿐인 자신을 깨닫고 수치심으로 가볍게 죽을 뻔했다.

근데 잠깐만. 나 어젯밤에 옷을 갈아입고 침대에 들어간 기억이 없는데.

"도, 도사님……?"

하하하. 설, 설마.

멋진 미소를 띤 채 침대 옆에 계신 림 도사님은 머리가 짧아져 있었다. 침대에서 몸을 일으킨 채로 올려다보자 당연하다는 듯이 끌어당겨 안았다.

"잠이 덜 깼구나, 엘."

"아."

꽉 끌어안겨 귀에 키스를 받고 속삭이는 목소리를 듣자, 몇 번이고 사랑한다고 속삭여진 어젯밤의 일이 불쑥 떠올랐다.

등뼈가 삐걱거릴 정도로 강하게 끌어안겨 뜨거운 가슴에 볼을 대고 그 품에서 행복에 취했다.

마음이 통하는 기적에 전율했던 어젯밤의 기억.

"저……전, 아직 꿈을 꾸는 것 같아요……."

당황해서 허둥지둥하는 나를 향해 림 도사님이 눈을 반짝이며 미소 지었다.

……지금 내 인생이 송두리째 뒤흔들다.

"그 후 정신을 잃은 널 안고 잠들고 싶었지만 혼인 전의 동침은 인정할 수 없다고 네 남동생과 할아버지가 떼놓았어. 나도 오늘 아침에 일어나서 결코 꿈이 아니었다는 걸 확인하고 싶어서 이렇게 빨리 네 방으로 오고 말았어. ……엘, 그건 꿈이 아니었다고 말해 줄래?"

"림 도사님?"

이름을 부르자 눈앞의 미남 엘프가 괴로운 듯 눈썹을 찡그리며 속삭였다.

"기림이야."

"서, 선생님."

"기림이야. 엘. 날 받아들이고 이름을 불러줬잖아? 꿈이 아니라는 걸 실감하고 싶어. 자. 어서."

오직 너에게만 허락한 이름이라고 귓가에 속삭였었지만, 신경 쓰였던 점이 머릿속을 스쳤다.

"하, 하지만 학원에서는 학생들 모두 기림 선생님이라고 불렀잖아요! 기림이라는 이름을 나에게만 바친 거라면, 어째서 사촌 남동생이나 나……나월 님이 불렀던 거예요?"

"응? 그랬었군. ……그런 모습일 때는 기림이라고 부르라고 마리우스에게 말했어. 그 당시의 학생들은 마리우스를 따라한 것에 불과해. 내가 인간족에게 그 이름을 댄 게 아니야. 진짜 이름을 바치며 사랑을 원한 건 진정 네가 처음이야."

내가 뾰로통해진 것을 눈치챘는지 미남 엘프가 기쁘게 웃었다.

"……혹시 질투해준 거야? 그때 나를 쫓아서 학원까지 찾으러 와 줬잖아? 엘. 나를 찾아줘서 기뻤어."

"기림 선생님."

"왕성에서 림으로서 만났을 때도 여러 번 진실을 말하려고 했어. 이 마음이 무엇인지도 모른 채 꽤 먼 길을 돌아오고 말았어. 너와 떨어져서 전투에 몸을 던졌을 때도 너의 행복을 빌었어."

어렸을 때부터 이렇게 선생님에게 안기는 것을 좋아했다.

언제부터 선생님을 남자로 봤던 걸까.

"어린 네가 못 알아볼 정도로 어엿한 숙녀가 되고, 누구에게도 넘겨주고 싶지 않게 됐어. 연심을 품어도 맺어질 거라고는 생각하지 않았어. 꿈만 같아. 엘."

귓가에 속삭이고 입술로 귀의 모양을 덧그렸다. 행복하고 달콤한 자극이 등을 덮쳤다.

허리를 직격하는 미남 엘프의 야릇한 목소리와 귀에 대한 자극으로 몸을 가눌 수 없게 된 나를 지탱하는 늠름한 팔. 울고 싶어지는 행복감 속에 긴 귀가 기쁘게 쫑긋거리는 것이 보였다.

"기림 선생님…… 선생님이라면 우리나라는 물론이고 타국의 영애와도 맺어질 수 있어요. 정말 저로 괜찮나요? 대역죄를 저지른 범인의 딸인데도요?"

대현자님이 귀족 지위에서 쫓겨난 계집에게 빠지는 건 나라를 혼란스럽게 만드는 일이 아닐까.

게다가 그 계집은 그 악명 높은 아클라우스가의 생존자다. 백부님인들 허락하지 않을 거다.

"죄를 저지른 건 네 부모님이지 네가 아냐. 그리고 당연한 말이지만 신분 운운하기 이전에 너 말고 다른 여자에게는 관심 없어. ……겨우 널 독차지할 수 있게 됐는데 슬픈 말은 하지 말아줘."

나를 끌어안으며 기분 좋게 웃음 짓는 미남 엘프.

정말이지 눈부신 존재인 이분은 감히 나 같은 여자가 넘볼 수 있는 분이 아니라고 생각했다.

그래서 이 마음도 평생 혼자 간직한 채 무덤까지 가지고 가겠다고 체념했었다.

"……선생님, 선생님께서 들어주셨으면 하는 말이 있어요. 전 이 세상이 무서웠어요."

"엘로즈?"

"제가 아클라우스가의 엘로즈이기에 언젠가 부모님처럼 악행에 손을 뻗게 될까봐 두려워했었어요. 악당의 아이는 악당이 되는 법이에요. 전 제가 무서웠어요."

이 세계가 소설과 동일한 세계관을 가졌다면 귀족 세계에서 축출이라도 당하지 않는 한 흑장미는 흑장미답게 악행에 손을 뻗을 것이다. 남을 멸시하고 타국을 조종하고 자국의 백성마저 제물로 삼고서 마음 아파하는 일도 없을 것이다.

피 웅덩이 속에서 음산하게 미소 짓는 악녀로 누구도 돌아봐주는 이 없이 죽어갔을 것이다.

"……하지만 선생님들 덕분에 그 공포에서 벗어날 수 있었어요.

길을 제시하고 이끌어주신 선생님들과 할아범 덕분에 전 저로 있을 수 있었어요."

소설의 흑장미에게도 선생님들이 있었는지는 이제 모르겠다.

소설의 지식을 떠올린 덕분에 솔직하게 할아범과 선생님들의 지도를 받아들일 수 있었던 건지도 모르지만. 선생님들의 정성이 없었다면 틀림없이 악에 물들었을 거다.

배드 엔딩을 피하기 위해서 달려온 지금까지의 일들이 주마등처럼 머릿속을 스쳤다. 긴 전쟁이었다.

원해서는 안 되는 사람이었다. 손을 뻗으면 죄로 불타 끝날 거라고 생각했다.

하지만 다른 누구도 아닌 이분이 나를 원해줬다. 이런 나를 원한다고 말씀해주었다.

꽉 쥔 주먹이 떨리고 있었다.

무리하게 도전하며 싸워온 결과가 지금이라면 흑장미는 흑장미답게 이 마음을 알릴 것이다. 설령 이루어지지 않을 마음이라고 해도 아무것도 하지 않으면 미래는 열리지 않는다. 나는 실제로 그렇게 험난한 가시밭길을 헤치고 여기까지 왔다.

흔들리는 침대 위에서 무릎을 꿇고 기림 선생님을 올려다본 채 정중히 얘기했다.

"선생님, 아주 오래 전부터 선생님을 연모해왔어요. 부디 이 엘로즈를 곁에 둬주세요. 엘로즈 평생의 소원이에요."

만감이 교차하는 마음을 담아 고백했다.

선생님은 여전히 무릎을 꿇고 있는 내 손을 잡고 시선을 맞춰주셨다.

그리고 영리한 눈동자를 누그러뜨리며 미소 지어주셨다.

"내 옆은 앞으로 영원히 네 자리다. 너 말고 다른 사람에게 내어줄 생각도 없어."

"기림 선생님."

"……진심으로 교사가 되길 잘했다고 생각해. 엘, 나는 널 구했을까."

"구해주셨어요."

선생님이 손을 당기는 대로 몸을 일으켰다. 그 품에 안겨 이지적인 푸른 눈동자와 눈을 맞췄다.

가볍게 미소를 띤 입술이 서서히 다가와 나는 살짝 눈을 감았다.

\*\*\*

몇 번이고 입술을 쪼는 뜨거운 입술에 몸을 떨며, 밀려드는 행복을 맞이하기 위해 입술을 살짝 열었다.

입맞춤을 하는 사이에 사랑한다고 속삭여와 나도 응답하려 입술을 열었지만 그때마다 혀끝이 입 안을 희롱해 정신이 아찔해졌다.

위턱도 치열도 뺨 안쪽도 혀로 덧그려지고 그때마다 등을 타고 엉덩이까지 전해지는 쾌감에 몸을 비틀었다. 혀를 혀로 농락당하고 빨리고 깨물렸다. 선생님의 숨결과 뚝뚝 떨어지는 색기가 머릿속까지 능욕했다.

마침내 뺨에 입맞춤을 받고 기림 선생님의 뜨거운 손바닥이 등을 쓰다듬는 느낌에 몸을 비틀었다.

뜨거운 손바닥은 등부터 허리를 덧그리고 엉덩이를 천천히 어루만졌다.

때때로 손가락이 봉긋한 엉덩이를 파고들어 괴로운 듯 입을 벌리자 바로 위에서 선생님의 입술이 덮치듯 포개졌다. 혀뿌리까지 탐색당하고 등을 띄웠다. 엉덩이를 어루만지는 손가락에 힘이 들어갔다.

"아, 아아."

무심코 등을 떨며 선생님에게 매달렸다. 깊이 탐색하는 듯한 입맞춤에 흠뻑 취했다.

선생님이 내 귓가에 입술을 붙이고 속삭였다.

"……엘, 사랑해."

행복으로 숨이 멎을 뻔했다. 하지만 여기서 꺾이면 흑장미의 체면이 말이 아니게 된다.

"제, 제가 더 사랑해요!"

내 사랑을 느껴봐! 라는 듯이 입술을 붙이자 훗, 하고 웃은 선생님이 어른스러운 키스를 돌려줬다. 연륜이란 이런 걸까라는 생각도 쾌락에 묻혀 희롱당할 뿐.

선생님은 힘겹게 숨 쉬는 나를 달래듯 입술을 쪼고, 여유마저 보이면서 뺨에 입을 맞추고 귓불을 간질였다.

"아, 아."

귓불을 애무당하고 단숨에 머리로 피가 쏠렸다. 등을 스치는 쾌감에 만져지지 않은 그곳이 젖어가는 것을 느꼈다.

어젯밤, 희롱당하고 부추겨진 것처럼 그 기쁨을 다시 한 번 생각하고 만 것이다.

기림 선생님의 손바닥이 몇 번이고 등을 어루만졌다. 등을 쓰다듬어 입맞춤으로 흐트러진 내 호흡을 달랬다. 엉덩이를 어루만져 손바닥의 열기를 옮겼다. 입술로 혀끝으로 손끝으로 희롱해 나를 더욱 높은 곳으로 이끌었다.

숨 쉬는 것조차 어려워졌을 때 기림 선생님이 즐거운 듯 눈을 가늘게 뜨고 내 이마에 이마를 맞대고 숨결이 닿는 거리에서 속삭였다.

"……사랑해. 엘로즈. 떨어지고 싶지 않아. 떨어지고 싶지, 않아. 이대로 내 아내가 되어줄래?"

달콤한 사랑의 속삭임에 사랑받고 있다는 기쁨에 몸을 떨었다. 이렇게 행복해도 되는 걸까.

"기림 선생님. 절 아내로 원하시는 거예요?"

시선을 맞춘 채 서로의 두 손을 포개고 깍지를 꼈다.

저 깊은 곳에서 서서히 솟아오르는 소리치고 싶은 충동에 휩싸인 채 나는 말했다.

"저, 저도 기림 선생님의 아내가 되고 싶어요!"

"엘로즈."

선생님이 몹시 감격한 듯 끌어안고서 소리를 내며 귓불을 애무했다. 혀로 애무하는 감촉과 소리가 동시에 열기가 되어 하복부에 짜 릿한 쾌감을 선사했다. 쾌락은 차곡차곡 쌓여갔다. 이미 온몸에 힘 이 빠져 있었다. 선생님의 팔이 아니었다면 주저앉았을 것이다.

쾌감으로 몸을 젖힌 채 가벼운 경련을 일으키며 어렴풋이 눈을 떴다. 귓불을 핥고 있는 기림 선생님의 얼굴 옆으로 짧은 머리카락 으로는 가릴 수 없었던 긴 귀가 삐죽 튀어나와 있는 것이 보였다.

눈앞에서 기쁘다는 듯 실룩실룩 움직였다.

규칙적인 그 움직임에 시선을 빼앗겨 무심코 "에잇." 하고 목을 뻗어 깨물었다.

장난감 쥐에게 달려드는 고양이의 기분을 알 것 같았다.

말로 표현할 수 없는 기쁨을 느끼며 꼭 안고 깨물었더니 순간 기 림 선생님의 몸이 얼어붙고 뒤이어 머리카락이 삐죽 곤두섰다.

"……에, 엘……로즈……."

"후후후, 기림 선생님. 어젯밤의 답례예요."

미남 엘프가 미남 에로 엘프로 변하는 순간을 흑장미는 보고야 말았다.

긴 귀는 깨물면 위험하다는 동인지 정보는 까맣게, 깨끗이, 완전 히 잊고 있었다.

특성 발휘를 한 에로 엘프가 순식간에 가운을 벗기고 침대로 밀 어붙였다. 밤의 대현자님은 일하는 속도가 빠르다.

꺄야, 라거나 어맛, 같은 비명을 지를 새도 없었다.

선생님이 훤히 드러난 내 가슴을 양손으로 움켜쥐었다. 붉은 봉

오리를 손끝으로 잡고 입술로 빨고 혀끝으로 핥았다. 연구자의 눈으로 희롱했다. 키스의 여운으로 온몸에 힘이 빠져 선생님의 생각대로 무릎이 활짝 벌어졌다. 질척해진 그곳을 포식자의 눈이 꿰뚫어 수치심에 얼굴이 타올랐다. 닫고 싶어도 선생님의 팔이 단단히 고정하고 있어 닫을 수가 없었다.

"아아, 기뻐. 흠뻑 젖었어. 기분 좋았구나?"

그런데도 아름다운 그 사람이 기쁘다는 듯이 그런 저속한 말을 속삭여 수치심에 숨을 쉴 수 없었다.

"도망치지 말고 제대로 느껴봐."

수치심에 눈을 감자 일부러 질척이는 소리를 내며 가슴의 과실을 희롱하고 활짝 열린 은밀한 부위를 희롱했다. 손가락으로 소음순을 휘젓고 클리토리스를 튕겼다. 허리가 들썩였다. 아슬아슬한 순간까지 희롱했다가 멈추는 그 손에 울면서 매달렸다.

만족한 현자님이 에로 엘프다운 어록으로 수치심을 부추기고 몸은 점점 뜨거워졌다.

부드러운 곳이 딱딱하게 솟았다거나 핥아서 굴린 곳이 젖어서 빛나 음탕하다거나 유두를 살짝 깨물면 손가락을 집어넣은 안쪽이 조여든다고 속삭여도, 의식해서 그러는 게 아니었다. 귀여워, 착해, 라고 칭찬해도 곤란했다.

"좁고 뜨거워. 빨리 달라고 조르는 것만 같아. 나도 빨리 네 안에 들어가고 싶어."

처음이라도 아프지 않게 충분히 적신 후에 넣을게, 라는 말에 이 이상 무엇을 어떻게 하려는 걸까 하고 당황하고 있었더니.

"……아, 거, 거짓말. 그만! 아아, 서, 선생님! 아, 안 돼!"

다리를 꽉 붙잡고 활짝 벌린 그곳에 선생님이 얼굴을 묻었다.

"그, 그만! 아아아 ……안 돼, 안 돼요!"

그런 방법에 대한 지식은 있어도 책으로 읽는 것과 직접 당하는 것은 수치심의 정도가 다르다. 음탕한 소리가 났다. 벗어나려고 몸을 비틀어도 꽉 붙잡혀 움직일 수 없었다.

그 사이에도 강렬한 자극에 숨이 차오르고 허리가 휙 솟구쳤다. 기림 선생님에게 몸을 내밀고 있는 것 같아 견딜 수 없었다. 그럴 생각은 전혀 없는데도 몸이 말을 듣지 않았다.

그 사이에 선생님의 손가락이 안으로 파고들었다. 안팎에서 전해지는 자극에 몸이 흐물흐물 녹아내렸다.

"기분 좋아? 엘. 안이 엄청 질척거리고 있어."

선생님이 손가락을 안에서 움직이면서 만족스럽게 웃었다.

딱딱해진 클리토리스를 혀끝으로 튕기는 음탕한 소리에 온몸을 떨었다. 손끝이 배꼽 뒤쪽을 노크할 때마다 허리가 솟아오르고 손가락을 꽉 조였다. 몰아치듯 쾌감을 주입받았다.

질 입구가 삐걱삐걱 닫히는 것을 즐기면서, 기림 선생님은 더더욱 솟아오른 쾌락의 싹을 혀끝으로 희롱하는 것을 멈추지 않았다. 혀끝으로 할짝할짝 핥으면서 손가락을 강하게 넣었다 뺐다 했다. 몇 번이고 머릿속이 새하얘지고 불꽃이 튀었다. 쏟아진 열기에 농락당하고 발가락 끝까지 긴장된 다리에 힘이 들어갔다. 선생님은 더욱 쾌감을 자극하듯 소리를 내며 손가락을 넣었다 뺐다 했다. 클리토리스를 물고 강하게 빨아들였다. 머릿속에 섬광이 스쳤다. 폭풍 같은 격정에 전율하며 몸을 내던졌다.

"엘."

욕망으로 물든 그가 힘이 빠진 내 다리를 안아 올렸다. 어렴풋이 흰 다리를 올려다보자, 내 몸을 덮쳐누르고 미소 짓고 있었다.

더 기분 좋게 해줄게, 라며 속삭인 선생님의 수려한 얼굴이 다가왔다.

눈을 감고 입술을 포갤 뿐인 키스를 했다. 동시에 터질 듯한 선생님의 물건이 그곳에 밀착했다. 뜨겁게 맥동하는 그것이 천천히 위아래로 비비기 시작했다.

"……응, 엘. 부드러워서 기분이 좋아."

선생님이 숨을 토할 때마다, 허리를 움직일 때마다 그곳에서 흘러나온 액체가 단단한 물건을 가득 칠하고 뾰족해진 클리토리스를 찔렀다. 몇 번이고 앞뒤로 비벼지고 끝부분으로 찔릴 때마다 클리토리스가 떨리고 마구 휘저어진 그곳은 흥건히 젖어들었다.

선생님은 새빨갛게 무르익은 내 젖꼭지를 잡고 때때로 입술로 빨았다. 혀끝으로 데굴데굴 굴리면 배 안쪽이 부르르 떨렸다. 마구 비벼진 그곳은 선생님의 열기가 옮았는지 뜨겁고 욱신거려서 견딜 수 없었다. 비벼지는 사이에도 선생님의 끝부분이 질 입구를 스쳐 안달이 나서 선생님의 어깨에 매달렸다.

"엘, 엘, 귀여워……."

"아, 아아, 아아, 아아아."

느긋했던 움직임이 절정으로 이끄는 격렬함으로 바뀌었다. 움찔움찔 튀는 몸을 강하게 끌어안겨, 격하게 밀어붙이는 물건의 열기에 희롱당했다.

놀리기만 했던 심술궂은 물건이 드디어 입구에 맞춰졌다. 심장이 터질 것 같았다.

"……엘, 들어간다."

"아, 아아, 아아아앗."

천천히 들어온 물건에 숨을 쉴 수 없었다.

천천히 안쪽까지 밀고 들어오자 충족감도 함께 밀려왔다.

그 후 숨을 토한 선생님이 나를 달래듯 안아주었다. 커다란 등에 정신없이 매달렸다. 삽입된 물건이 몸 안에서 숨 쉴 때마다 입술이 파르르 떨렸다.

고통보다 울고 싶을 정도의 행복감과 가슴을 태울 것 같은 독점욕에 눈시울이 붉어졌다.

나는 역시 죄 많은 여자였다.

이 몸으로 이 고귀한 사람을 붙잡아맬 수 있다면 처녀막이 찢어지는 고통 따위는 아무것도 아니라고 생각하니까.

그리고 더 빠져주길 바라면서 이 몸을 내미니까.

"아아아……아앗."

내 안에 있는 선생님의 뜨거운 물건을 꽉 조였다. 눈앞에서 미소 짓는 아름다운 얼굴이 열기를 띠어갔다. 눈꼬리가 요염한 빛을 띠며 붉게 물들어가는 것을 어렴풋이 올려다보았다.

"천천히 숨을 내쉬어봐. 익숙해지면 더 많이……, 좋은 곳을 찔러줄게. 기대한 거야? 물어뜯길 것 같군."

"아앗, 아아아아."

"후후, 유두를 잡아당기면 꽉 조이는군……큭, 아, 굉장해."

헐떡이는 입술을 쪼면서 유두를 잡아당겼다. 천천히 안을 찌르는 음탕한 소리가 실내를 가득 메웠다. 이제 선생님의 손가락과 혀가 모르는 곳은 없었다.

양 허벅지를 꽉 누른 채로 깊숙한 곳을 찌르며 안을 휘저었다.

유방이 흔들리고 유두가 짓눌리고 몇 번이고 살갗을 깨물려 소리를 질렀다.

클리토리스는 손끝에 농락당해 점점 뜨거워졌다.

허리의 움직임은 전혀 멈추지 않았다. 멈추기는커녕 파고드는 속도는 빨라지기만 했다. 선생님의 팔에 매달려 폭포수처럼 퍼붓는 열정을 받아내는 것만으로 벅찼다.

선생님의 달뜬 눈동자와 눈이 마주쳤다.

시선이 겹쳐진 순간 누가 먼저랄 것도 없이 입술을 붙이고 입을 맞췄다. 선생님의 혀가 입 안으로 미끄러져 들어왔다. 혀와 혀가 엉켰다. 혀끝으로 서로를 확인하면서도 하반신을 파고드는 물건은 격렬함을 더해갔다. 혀를 엉키게 하면서, 선생님이 망가뜨릴 기세로 계속해서 안으로 부딪쳐왔다.

"입을 벌려. 혀를 내밀어."

몇 번이고 받아내면서 시키는 대로 입을 벌렸다. 혀끝을 내밀자 선생님의 입술이 닿을락말락한 거리까지 내려와 혀끝만 닿게 했다.

짜릿한 쾌락의 소용돌이에 숨 쉬는 것조차 괴로웠다.

엎드려졌을 때는 짐승처럼 허리만 높이 쳐들게 했다. 앞으로 두른 선생님의 양손이 가슴을 주무르게 내버려두면서 엉덩이를 떨게 하는 음탕한 소리를 들었다. 몇 번이고 들어왔다 나가는 물건의 기세에 열에 들뜬 듯 선생님의 이름을 불렀다. 흥이 올랐는지 몇 번째인가의 부름에 응답하듯 선생님이 엎드린 내 몸을 둥실 안아 올렸다.

"기림, 선생님?"

몸을 비틀어 선생님을 보려고 하자 무릎 뒤쪽을 꽉 붙잡혀 그대로 음란한 자세로 고정되었다. 수치심에 무심코 닫으려 한 다리 사이로 단단한 물건이 파고들었다.

"아앗, 서, 선생님. 이런 자세."

"부끄러워?"

"으으읏."

눈물 섞인 애원도 받아들여질 리 없이 음탕한 자세 그대로 위아래로 가볍게 들썩였다. 수치심에 괴로워하는 모습도 사랑스럽다고 귓가에 속삭여와 몹시 괴로웠다.

위아래로 들썩이면서 바로 옆에서 찔리고 안아 올려져서 가슴을 흔들리고 뒤에서 엉덩이를 거칠게 붙잡혀 밀어붙여졌다. 몇 번이나 체위를 바꿔가면서 선생님의 욕망이 내 안에서 분출되는 것을 느껐다.

나는 거칠게 붙잡혀서 두려움을 느끼기는커녕 기림 선생님의 거친 손길에 환희를 느꼈다.

이 고귀한 분이 자신을 잊을 정도로 내 몸에 빠져 있는 현실이 미친 듯이 기뻤다.

"엘. 나에게만 보여주는 얼굴을 보여줘. 나만이 아는 널 알고 싶어. 더, 더, 흐트러진 모습을."

기림 선생님이 내 몸을 가볍게 안아 올리고서 아름다운 얼굴에 욕망을 드리운 채 속삭였다.

마주 보고 앉은 자세로 기림 선생님을 받아들이자 환희와 충만감이 가득 찼다.

흐트러진 얼굴을 보일 수 없어서 필사적으로 평정심을 유지하려 애썼다.

하지만 애써 긁어모은 얼마 안 되는 평정심은 선생님의 기세 앞에 사라졌다.

"아, 아, 안 돼. 아, 꺄앗. 서, 선생님, 거칠어, 요, 아아."

천국을 엿본 게 몇 번인지조차 몰랐다. 너무 잘하는 것도 문제라고 생각했다.

"수치심에 물든 얼굴도 정말 훌륭해. 자, 절정일 때의 표정을 보여줘."

게다가 어쩐지 내 서툰 몸짓이 선생님의 외설스러운 감정을 건드린 모양이었다. 야릇한 미소를 띤 선생님이 복근에 힘을 주고 가볍게 허리를 들썩이기 시작했다.

"아, 서, 선생, 님, 아아아! 아, 아, 아앗."

자자잠깐만. 이건 소설 흑장미의 특기인 기승위잖아!

크르트 님을 잡아먹었을 때 일이 끝난 후에 웃으면서 『난 승마가 특기야.』라며 혀로 입술을 핥았던, 집안 대대로 전해져 내려오는 비기라고!

이거라면 주도권을 잡을 수 있을지도 모른다. 희롱당하면서 충족 당하기만 해서는 흑장미의 명성에 금이 간다. 흑장미에게도 흑장 미 나름대로의 의지가 있다.

선생님도 내 몸으로 가득 충족되길 원해!

조, 좋았어. 머리를 텅 비우고, 선생님의 가슴에 손을 얹고서.

선생님의 움직임에 맞춰서 허리를……. 허, 허리를…….

아앗, 선생님, 가슴을 만지면 안 돼요. 아직 민감하다고요.

자, 자잠깐! 그쪽은 더 만지면 안 돼요!

"아, 아아아, 아앗! 아아! 안 돼, 이상해요. 이상해요. 안 돼. 기 림 선생님, 안 돼앳."

……흑장미의 의지를 보여주려고 분발하면 분발할수록 선생님의 기세가 더해지는 건 어째서일까.

어쩐지 훌륭한 미소를 지은 선생님이 엉덩이를 꽉 움켜쥐고 밑에 서 세게 밀어붙였다.

머릿속이 어질해지고 허리가 부르르 떨렸다. 앙앙 울 때까지 희 롱당했는데 앙앙 울어도 끝날 낌새가 없었다.

"어서, 엘. 얼굴을 보여줘. 내 정액을 받아."

"아아, 아아, 아아, 아……아아아, 배, 안이, 뜨, 뜨거워!"

뜨거운 정액을 배 안 가득 받아들이고서 나는 특성 발휘를 한 에로 엘프에게서 주도권을 빼앗는 일이야말로 무리라는 것을 깨달았다.

절정의 여운에 떨리는 몸을 선생님의 가슴에 기댄 채 무엇이 어찌 됐든 이로써 첫날밤이 끝났다고 숨을 가다듬고 있었다.

"……기, 기림 선생님? 저, 저, 저기!"

"응? 아직 할 수 있잖아? 엘……."

아뇨. 무리예요.

줄줄 흐르는 색기로 나를 흘끗 바라본 정력 넘치는 엘프는 사정했음에도 불구하고 시치미 뗀 얼굴로 내 엉덩이를 어루만졌다. 자, 자잠깐만!

극도로 굵어진 흉악한 물건이 엉덩이에 닿았다. 엘프는 초식계 맞지? 초, 초식계였지? 귀를 깨물었다고 이렇게까지 변한다는 이야기는 못 들었다.

"기림 선생님, 저, 전 오늘은 더 이상."

허리도 후들거리고, 너무 신경을 써서 힘이 안 들어가.

"아직이야. 여기도 기분 좋지? 엘."

"아앗."

엉덩이에 물건을 들이밀면서 엉덩이를 비비는 에로 엘프가 가차 없다.

어째서 이렇게 된 거야.

"아아, 엘은 부드럽고 뜨거워서…… 못 참겠어. 몇 번이고 맛보고 싶어. 햇빛에 타지 않은 이곳에 좀 더 내 흔적을 새기고 싶어."

기림 선생님, 엉덩이를 움켜잡지 마세요. 그걸로 비비지 마세요.

무심코 허벅지에 힘을 주고 시트를 움켜쥐었다. 허벅지 사이로 침입한 물건의 맥동을 느끼고 당황했다.

하지만 밤의 대현자님에게 맞설 수 있을 리 없었다.

"……엘."

등 뒤에서 끌어안겨 침대에 함께 쓰러졌다.

……아름다운 엘프가 길고 섬세한 손가락으로 물고 빨고 깨물린 탓에 새빨개진 유두를 튕겼다. 그대로 손끝으로 작은 원을 그리듯 자극하기 시작했다.

"아앗, 선생님, 아아, 안, 안 돼."

"안 돼? 그건 슬픈데. 그럼…… 이쪽은 어때?"

"아아앗!"

자극에 눈뜨자 선생님이 내 등 뒤에서 꼭 껴안고 앞으로 두른 왼 팔로는 젖꼭지를, 오른팔로는 뾰족해진 클리토리스를 쓰다듬고 있었다.

액체를 휘감은 손가락으로 딱딱하게 솟은 그것을 때로는 강하게 움켜쥐고 때로는 달래듯이 어루만졌다. 자극으로 꽉 닫힌 허벅지 안쪽을 단단한 물건이 비집고 들어왔다. 강하게 맥동하는 그것은 조금 전의 격렬함을 상기시키듯 다리 사이를 앞뒤로 비벼댔다.

클리토리스에 가해진 자극으로 허리를 들썩이자, 사이를 두지 않고 혀끝이 귀를 간질였다.

귓불을 소리 내어 핥고 모든 민감한 부위를 농락당해 도망칠 곳이 없었다.

쾌감에 등을 부르르 떨어도 봐주지 않았다. 밀려드는 쾌락에 꼼짝없이 농락당해도 다정한 말과 함께 입술이 스르르 떨어져 얽매이고 만다. 계속되는 입맞춤과 손끝이 선사하는 쾌락에, 내지르는 비명은 달콤해져만 갔다. 굳게 닫힌 허벅지 사이를 오가는 그것은 더욱 뜨겁게 커지며 불가항력적으로 내 안의 열기를 부추겼다.

그가 나를 미칠 듯이 원하는 현실에 멀미가 날 정도로 기쁨을 느꼈다.

멈출 수 없는 마음을 깨닫게 되는 건 이런 순간이다.

격렬히 사랑받으면서 솔직하게 기쁨을 느끼고 만 것이다. 내 안을 강하게 파고든 그것을 단단히 조이고 극한의 감동으로 죽을 정도였다.

"……큭."

숨을 삼키는 선생님의 목소리가 너무 야릇해서 정수리부터 엉덩이까지 전율이 스쳤다.

그게 또 자극이 됐는지 선생님의 손끝이 앞일을 재촉하듯 뾰족해진 클리토리스에 미끈미끈한 액체를 휘감아 유혹했다.

어쩔 수 없을 만큼 좋았다.

흐물흐물 녹아내릴 만큼, 사랑받아서 기뻤다.

내가 좋아하는 사람이 나를 원하고, 함께 달려 나가는 행복을 거부할 수 있는 사람이 과연 몇이나 될까.

각도를 바꿔 받아들이며 신음 소리를 냈다. 선생님의 물건을 단단히 조이고 허리를 들썩였다. 분명 서툰 몸짓일 텐데도 만족한 숨을 토했다. 선생님이 사랑스러웠다.

나를 보고 행복하게 미소 짓는 이 사람이 좋았다.

그래서 선생님이 원하는 대로 몇 번이고 체위를 바꿔 내 안에 사정하게 했다.

선생님은 그때마다 강하게 끌어당겨 안으며 내 이름을 불렀다.

그 품 안에서 선생님의 심장 소리를 듣고 그 팔 안에서 여유를 잃은 얼굴을 올려다봤다.

나를 흐트러지게 하는 건 기림 선생님뿐이지만 기림 선생님이 여유를 잃게 만드는 건 나다.

"기분 좋아. 엘. 어디고 탐스럽게 물들어서, 전부 핥고 빨고 깨물어서, 도장을 새기고 싶어. 나를 더. 기억해. 내 품 안에서, 나만 바라봐."

"기, 기림, 선, 선생님."

몇 번째인지 모를 절정을 맞이하며 띄엄띄엄 중얼거린 지칠 줄 모르는 에로 엘프의 말은 무척 혹독했다. 날 원하고 있다는 것을 깨닫고 기쁘고 행복해서 선생님의 눈동자에 눈을 맞추고 미소 지었다.

"앗, 큭…… 아."

"……아, 하, 기, 기림."

놓치지 않겠다는 듯한 포옹에 숨이 막혔다. 선생님이 등을 부르르 떨고 쌓여 있던 숨결을 토해냈다.

이미 나는 기림 선생님의 팔에 갇힌 채였다. 응석을 부리듯 기림 선생님의 가슴에 기대 눈을 감고 여운을 즐겼다.

이번에야말로 끝났다고 생각했다.

……여전히 내 안에 있던 그것이 커지는 것을 「또」 느끼기 전까지는.

"어? 자, 잠시만요. 선……."

스르륵 빠져나간 그것의 존재감에 무심코 선생님의 몸에 매달렸다. 무의식적으로 조인 건지 여운으로 허리가 떨렸다.

올려다보니 기림 선생님이 야릇한 미소를 짓고 있었다.

"……음. 착한 아이군. 이렇게 조르다니."

"우우…… 잠시만요. 기림 선생님, 자…… 아앗!"

아슬아슬하게 빠져나가 있던 그것이 세차게 밀고 들어왔다. 가장 깊숙한 곳까지 받아들이고 숨이 턱 막혔다.

정력가 에로 엘프에게 「잠시만」은 「더 더」의 동의어일까.

잠시만이라고 말하면 말할수록 그것은 기세를 더해갔다.

"아, 아아, 부리, 이제 무리예요, 가득 차서, 더 이상, 안 들어가, 아……아아아."

……아무래도 에로 엘프의 진심을 잘못 헤아렸던 모양이다.

기림 선생님, 배드 엔딩 할 테니까 오늘은 그만 봐주세요!


끝!

# 보너스, 에로 엘프 이야기

……마음이 전해진다는 것은 얼마나 행복해지는 일인가.

쫓아가 잡아서 수중에 넣고 싶다고 생각했던 소녀가 내 손을 잡아준 행복을 음미했다.

현자로 불리며 몇 년의 세월을 보냈어도 이 정도의 기적을 만난 적은 없었다.

『평생의 소원이에요. 이 엘로즈를 곁에 둬주세요.』

너무 기쁜 나머지 말을 잃는다는 것을 처음으로 알았다.

『제, 제가 더 사랑해요!』

어리기에 가능한 순수하고도 저돌적인 마음 앞에서는 아무리 현자라도 당해낼 수가 없다. 처음부터 패배는 정해져 있었다.

마음을 비치고 마음을 돌려받는 일이 얼마나 큰 기적일까.

망가뜨리지 않도록 세심한 주의를 기울여 아내로 맞이했다.

무서워하지 않았으면 좋겠다. 도망치지 않았으면 좋겠다. 어울리지도 않게 불안하게 생각하던 나를 알아챈 건지 엘로즈는 크게 팔을 벌려 그 마음을 받아줬다.

……그렇게 되니 더는 멈출 수 없었다.

음탕한 물소리를 내면서, 끌어안은 소녀의 안에 마음껏 욕망을 분출했다.

그녀의 안은 정신을 잃을 만큼 뜨겁고 좁고 기분 좋았다.

한 손으로 잡기엔 버거울 정도의 아름다운 가슴도, 통통하게 살이 오른 여성다운 허벅지도, 조이고 음미하듯 핥아 올리는 질 속도, 희미하게 물든 엉덩이도 최고였다.

처음이면서도 나에게 응답해 보이려 한 씩씩함도, 서툰 몸짓으로 유혹하는 것도, 최선을 다해 봉사하는 모습도 나의 성감을 자극할 뿐이었다.

하나하나 쾌감을 가르치는 음란함은 특히 배덕감을 부추겼다. 아무것도 모르는 순결한 소녀의 무구한 몸을 자신의 욕망대로 물들이는 쾌감이란!

하얀 속살에 수많은 도장을 새기고 원하는 대로 허리를 세워 밀어붙이고 가장 깊은 곳에 사정하는, 비할 데 없는 정복욕. 몇 번이고 쏟아내고 그때마다 안을 확인할 수 있는 만족감. 붉은 소양순이 무언가를 원하듯 수축하는 것을 가까이에서 바라보는 우월감.

뿌연 액체가 다 담기지 못하고 떨어지는 것을 확인했을 때는 아찔할 정도로 행복을 맛봤다.

여운에 부르르 떠는 엘을 위에서 덮치고 다시 한 번 삽입했다.

탐스러운 가슴을 눈앞에서 마음껏 흔들고 모아 쥐었다. 소리를 내면서 붉게 도드라진 유두를 빨고 핥아서 수치심을 부추겼다. 그렇게 일부러 움직이지 않는 엘을 안달하게 만들었다. 스스로 다리를 벌리고 조르도록 유도한 거다.

"선생님, 해, 해주세요."

"응? 들어가 있잖아?"

"아, 아니, 선생님, 우……움직여주세—."

"이렇게? 이렇겐가?"

엘이 원하는 대로 마음껏 밀어붙여 몇 번이고 안에서 사정했다.

그래도 만족하지 않고 다시 포효하는 탐욕에는 자조할 수밖에 없었다.

엘로즈는 당황한 모습으로 자기 얼굴 앞에서 끈임 없이 두 손을 움직였지만, 그 흰 손가락을 덥석 물고 핥았다.

"아, 아니에요! 잠, 잠깐, 선생님, 기림, 꺄, 아, 아, 아앗."

……뭐가 아니라는 걸까. 내미는 건 입에 넣고 사랑해줘야 마땅하잖아?

게다가 얼굴을 빨갛게 물들인 탐스러운 엘로즈를 앞에 두고 무엇을 기다리면 좋단 말인가.

예상이 빗나갔다는 듯한 표정이 지식 욕구를 부추겼다.

아니라고 말한다면 정답을 찾을 때까지다.

잠깐이라고 말한다면 더, 더라고 말하게 할뿐이었다.

"엘로즈, 엘……."

"아, 아, 아아앗."

몇 번째인가의 사정 후, 마찬가지로 절정을 맛본 엘로즈의 몸에서 힘이 빠져나갔다.

실신한 엘로즈의 몸을 끌어안은 내 안은 충만함으로 가득했다.

엘로즈의 몸에 남겨진 정사의 흔적을 눈으로 훑으면서 내 마음에 응답해준 그녀에게 마르지 않는 열정을 품었다.

엘로즈를 감싼 시트째 청정 마법으로 정화한 후, 주의 깊게 그녀의 모습을 관찰했다.

뺨은 장밋빛으로 붉게 물들어 있고, 울리고 만 눈꺼풀과 코끝이 살짝 붉어져 있었다.

몇 번이고 키스를 조르던 입술은 붉게 부풀어 있었다. 눈가에 입을 맞추면서 더욱 신중히 그녀의 몸을 관찰했다.

첫 경험의 고통에 눈썹을 찡그린 건 한순간이었다. 그 후에는 아파한 적이 없는 것으로 기억하고 있다. 농락하고 만 것은 반성하지만, 그녀가 꿈속에서 두려운 일을 당하고 있지는 않은지 주의 깊게 관찰했다.

곤히 잠든 소녀의 입술에서 시선을 뗄 수 없었다.

……입을 맞추면 깨울지도 모른다. 하지만 살짝이라면, 하며 계속 지켜보고 있자 문득 미소 지은 입술이 내 이름을 불러 머리가 새하얘졌다.

이름을 불러준 사랑스러운 사람은 내 품을 파고들며 안심한 듯 다시 미소 지었다. 몸도 마음도 만족한 나와 마찬가지로 엘로즈도 만족한 거라고, 비로소 안도했다. 익숙하지 않은 그녀를 함부로 다루었다는 자각은 있었다. 그래도 멈추지 않았다.

옅은 금발을 손으로 쓸어 정리하고 잠든 공주의 이마에 입맞춤했다.

그 후 방 안을 둘러본 뒤 환기를 위해서 창문을 열었다.

—슈웅!

순간, 바람 마법이 관자놀이 바로 옆을 뚫고 지나갔다.

"……투박해."

간단히 피한 뒤 중얼거리자, 그녀를 많이 닮은 외모의 청년이 창밖에 서 있었다.

아란 그레이다.

험악한 눈빛을 숨기려고도 하지 않고 나를 노려보았다.

나를 상대로 한 치의 물러섬도 없는 그 눈빛에서 소년의 성장을 느꼈다.

"도사님, 제가 말했었죠. 혼인 전의 동침은 인정하지 않는다고. 그리고 누님의 후견인으로서 왕가 주도로 혼례 의식을 집행한다는 것도 말씀드렸을 겁니다. 그런데 혼례를 치르기 전에 누님에게 손은 대는 건 무슨 경우입니까!"

"……내가 원했고 엘로즈도 원해줬어. 단지 그뿐인 일이지만 네 복잡한 심정도 모르진 않아."

"누님은 아직 열여섯 살이고 연애 경험도 없다고요. 대현자님이라는 분이 대체 무슨 짓을!"

"서로 사랑을 나누는 건 가혹한 일이 아니야, 아란 그레이. 서로 만족하고 만족을 주는 행위지. 게다가 나는 선택받지 않는다 해도 엘을 지키기로 맹세했었어. 예를 들어 엘이 선택한 남자가 마리우스나 크르트 메이덴이었다고 해도 나는 현자로서 사정을 감안하여 그들에게 마을에 머무는 동안 그녀를 아내로 맞으라고 진언했을 거다. ……다행히 엘이 날 선택해준 덕에 피를 토하는 심정으로 괴로워하지도, 잠들 수 없는 밤을 보내지 않아도 됐지만."

……다른 의미로 평생 잊지 못할, 잠들 수 없는 밤…… 아니, 아침을 보냈지만.

엘은 너무나도 가련하고 너무나도 씩씩했다. 순종적인 줄 알았더니 적극적으로 나를 정복하려 한 소악마적인 면모도 지닌 매혹적인 여성이었다.

침실에 기록을 관장하는 마법진을 쳐두지 않았던 사실이 분했다. 그렇게 선정적으로 나를 매료했던 엘의 모습을 남기지 못하다니 이 무슨 실책인가.

"……도사님, 그게 무슨 뜻이죠?"

명실공히 처남이 된 청년이 당황한 눈빛으로 바라봤기에, 머릿속으로 구상하고 있던, 영상과 음성 기록을 위한 마법진을 머리 구석으로 쫓아냈다. 이건 현자의 이름을 걸고 반드시 만들어내겠다.

"왕도로 돌아간 다음에 아내로 맞는 건 늦어. 어쨌든 엘프 마을에 숨겨져 있던 수녀는 앞으로 이 나라에 있어서 중요 인물이니까. 폐하가 총애하는 『녹색 손』이고, 그녀가 만드는 『부적』은 누구도 흉내 낼 수 없는 하나밖에 없는 것들뿐이야. 그리고 그 효과는 지난 10년 남짓한 시간 동안 이미 증명됐어."

"……네."

내 말에 아란 그레이가 수긍했다. 그 반응에 가볍게 끄덕인 뒤

계속 말을 이었다.

"아란 그레이. 젊고 아름답고 장래성 있는 여성을 뜻대로 조종하는 방법을 알고 있니. 귀족 사회에 익숙한 여성일수록 벗어날 수 없는 방법이 있어."

"……아."

"상상하는 것만으로도 끔찍하고 더러운 방법이지만."

총명한 아란은 그것만으로 눈치챈 모양이었다. 얼굴이 창백해졌다.

"……누님이 노려졌다는 말씀인가요."

아란의 물음에 천천히 끄덕여 보였다.

"불행하게도, 능력뿐만 아니라 그 몸에도 가치가 있는 여성이야. 속물일수록 갖고 싶어 안달이겠지. 금화가 열리는 나무로 보인 건지 출세의 발판으로 보인 건지……. 어느 쪽이든 고귀한 뒷배를 원하는 자들이 노리는 건 이미 예상했었어. 그러니 그런 자들에게 짓밟히기 전에 유력자와 연을 맺어둘 필요가 있었어. 확실한 지위를 가진 자라면 더욱 좋겠지. 폐하의 입장에서는 엘의 상대는 이번 동행자 중에서 나온다면 누구든 좋았던 거야."

……상대가 누구든 질 생각은 없었지만.

한두 번 차였다고 해서 포기할 수 있을 리 없다. 엘이 허락할 때까지 구애 공격을 계속할 뿐이다.

그리고 누구에게 시집가더라도 우리가 구태 귀족의 공세를 결코 용납하지 않으리라는 점.

그녀를 상대로 괘씸한 마음을 품은 남자를 발견한다면 마리우스는 미소 지으면서 피를 끓였을 거고 크르트 메이덴은 싸늘한 눈빛으로 그 팔다리를 벴을 거다.

비알 달폰이라면 남자의 존엄을 가루로 만들었을 거고, 나윌 딕섬이라면 눈썹 하나 까딱하지 않고 남자의 일생을 망가뜨렸겠지.

나라면 살아 있는 것을 후회할 때까지 마법진으로 놀아줄까. 후회하고 엎드려 절해도 멈추지 않을 거지만.

그런 우리의 엘로즈 방어망을 돌파해도 뒤에 대기하고 있는 건흑여우로 유명한 재상과 근육덩어리 장군이다. 그리고 마지막에는 이 나라의 왕이 있다.

그리고 엘로즈는 내 마음에 응답해줬다.

『아내가 되고 싶어요!』라고 해줬을 때의 행복은 말로 다할 수 없다.

그러나 행복의 여운에 잠겨 있을 수만도 없었다.

매형으로서 걱정쟁이 처남을 바른 길로 이끌어줘야 했다. 특히 누나에게 닥친 위기를 인지하는 능력에 관해서는 아무리 가르쳐도 부족하다.

"……저만 제외인 건가요."

"단 하나뿐인 누나를 따르는 마음은 잘 알아. 하지만 나도 고민끝에 여기에 온 거야. 그리고 폐하가 우리에게 언급한 건 한 가지뿐이다. 『억지로 강요하지는 마』라는. 엘로즈의 비명을 들었어?"

"……아뇨."

"나도 거절하면 그만둘 생각이었어."

……유치한 입맞춤이 열정적인 것으로 돌아와서 정신을 잃고 농

락당한 건 오히려 나였다.

"……소중하게 대한다고 맹세할게. 지금은 곤히 잠들어 있어. 가능하면 깨우지 않게 해다오."

"도사님은 누님을 어쩌실 생각이세요?"

"어쩔 생각 없어. 엘은 내 아내야. 앞으로 영원히 내 한쪽 날개가 되어 줄 나의 영원이다."

손을 놓을 생각 따위는 털끝만큼도 없어.

엘로즈, 나쁜 남자에게 찍힌 거라고 체념하고 이 품에 갇혀 있어줘.

행복한 일상을 약속하지. 언제나 널 지키겠다.

그리고 가능하다면 영원한 평안을 가져다주는 나의 여신이 되어주기를 간절히 바란다.

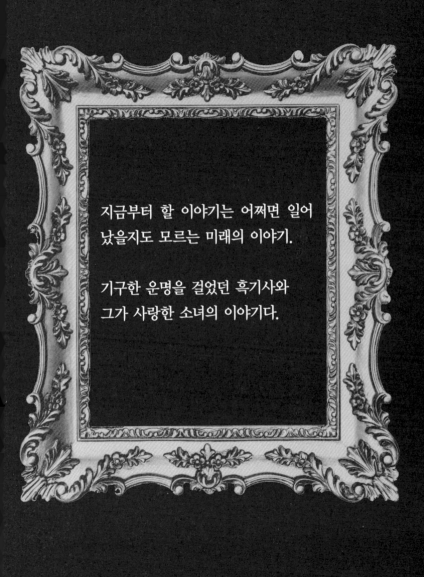

지금부터 할 이야기는 어쩌면 일어
났을지도 모르는 미래의 이야기.

기구한 운명을 걸었던 흑기사와
그가 사랑한 소녀의 이야기다.

# 어느 기사는 과거와 미래를 오간다

—숨을 쉬는 게 힘들어졌다.

더는 손가락 하나도 까딱할 수 없었다.

얕게 내쉬는 호흡도 불규칙하게 끊어졌다.

이런 인생에는 납득하고 있었다.

태어난 진흙탕 속에서 허우적대면서도 얻기 힘든 친구를 얻고 힘을 휘두를 수 있는 지위를 얻고 타국의 위협으로부터 자국을 지키고 영웅으로 불리고, 남들에게는 「희극 같은」으로 불리던 일생이었다.

친구가 있었다.

그들이 있어서 버틸 수 있었다.

그들이 있었기에 방황하지 않고 전쟁 속에 있을 수 있었다.

적이 있었다.

그녀에게 걸리면 나 같은 건 새파란 병아리였다.

그래도 필사적으로 증거를 긁어모아 그녀가 가는 길을 막았다.

자랑스러웠다. 나라의 앞날을 우려해 악녀의 손아귀에서 조국을 구해냈으니까.

그녀가 천공 감옥에 수감됐을 때는 어깨의 짐을 내린 기분과 동시에 일말의 쓸쓸함마저 느꼈다.

구국 영웅으로 불리며 폐하의 신뢰도 두터웠다. 그 까닭에 자작 출신의 애송이에게는 과분할 정도의 좋은 혼처도 권유받았다.

하지만 나는 모두 거절하고 독신의 삶을 관철했다.

사랑하는 여자 같은 건 없었다.

내 마음을 어지럽히고 피를 토하는 고통을 준 여자가 있었을 뿐이다.

돌이켜보면 그 여자는 불쾌할 만큼 표독스러운 화려함을 지니고 있었다.

숨이 멎을 만큼 위압감을 내뿜는 서늘한 미모. 분석하듯 바라보는 눈빛에 압도당했었다.

섬세한 손끝과 미소 띤 붉은 입술에 남자들이 넋을 잃는 모습을 이를 갈면서 보고 있었다. 기대를 갖게 하는 눈빛과 긴 속눈썹을 떠올리자 말할 수 없이 초조해졌다.

그 여자가 취약함을 드러내는 상대는 늘 성인 남성이었다.

권력과 재력과 나라를 움직일 정도의 두뇌와 담력을 가진 남자로서, 한창 때의 기사나 정치 중추에서 일하는 남자들 앞에서만 약한 모습을 보였다. 나약한 자신을 드러내 보호를 유도하고 방패로 삼기 위해서.

지독한 악녀라고 욕했었다. 그런 여자는 남자를 현혹시키는 독을 품은 꽃이라고 단언하고 소년의 결벽으로 시야에서 제거했다.

그러면서도 그 여자에게 남자로서 인정받지 못한 분함을 잊으려 단련에 힘썼다. 언젠가 다시 보게 해주겠다, 언젠가 인정하게 만들어주겠다고 큰소리치면서 스스로를 단련했다.

……나는 허세만 떨 뿐인 애송이였다.

그녀의 어둠을 파헤치기 위해 동료와 함께 분주히 뛰어다녔다.

치밀하게 시간 축을 조사해 그녀의 흔적을 기록하고 증거를 모아 그녀가 희대의 악녀라고 주장해도 처음에는 뭔가 착오가 있었겠지, 라며 웃어넘겨졌을 정도다.

—엘로즈. 악명 높은 아클라우스가에 핀 화려한 장미.

악덕하다고 알려진 아클라우스가의 당주 부부가 그녀의 부모가 아니었다면 그녀가 품은 독 가시를 주위 사람들은 조금 더 일찍 알아챌 수 있었을까.

가슴을 태우는 분노의 의미를 깊이 생각해보는 일도 없이, 정의감을 내세우며 모멸적인 눈빛으로 흑장미를 꿰뚫으며 그녀의 앞을 막아섰다.

자신을 지키기 위해서 자신을 내놓고 방패를 보강하고 있던 흑장미의 설망을 알지도 못한 채.

그 여자는 악녀라며 벌하고 무시하고 미워하려 했다.

그러지 않으면 스스로의 긍지를 지킬 수 없었다.

충성심과 우정, 인정하고 싶지 않은 심정 사이에 끼여서 움직일 수 없게 되기 전에 스스로를 경계할 필요가 있었다.

그러므로 그 밤은 더 바랄 나위 없는 밤이었다.

옷을 벗고 속살을 드러낸 채 다가오는 여자를 환멸하기에는 최고의—.

친구는 있었다. 사랑했던 여자는 없었다.

단지 평생에 한 번 연심을 품었었다. 입 밖에 낼 수 없는 연심이었다.

……거부할 수가 없었던 것이다.

내가 호감을 품고 있던 여자가 눈앞에서 옷을 벗고 유혹하는 현실을 거부할 수가 없었다.

"크르트 님." 하고 귓가에 속삭이는 목소리에 반격할 힘을 잃었다.

실오라기 하나 걸치지 않은 모습으로 유혹하는 그녀에게 그날 밤 나는 무릎을 꿇은 거다.

"후, 후후. 아란은 배신당했다고 절망할까. 전하는 부끄러움을 모른다고 욕할까. ……아니면 매국노와 내통했었냐고 탄식할까?"

저주의 실로 의자에 묶인 채 옷을 풀어헤쳐지고, 붉은 입술이 몸 이곳저곳을 기어 다녔다.

착 달라붙어서 고양이가 우유를 핥듯 붉은 혀끝을 날름거리며 살갗을 이동했다.

그 뒤를 흰 손가락이 기어 다녔다. 흠칫 몸 안에서 무언가가 튀었다.

여자는 그런 나를 신경도 쓰지 않고 드러난 부위에 얼굴을 붙이고 마치 물을 핥듯 천박한 소리를 퍼뜨렸다. 열심히 핥는 그 모습을 내려다보고 있자니 배덕감이 스쳤다. 비로소 만족했는지 몸을 떼더니 휙 솟아오르는 그것을 신기하다는 듯 바라보고는 꽉 쥐었다.

"싸고 싶어?"

붉은 입술이 호를 그렸다.

낭창낭창한 팔다리에 희미하게 빛나는 금발을 휘감고, 여자는 내 배 위에 다리를 벌리고 앉았다. 벌떡 솟은 그것을 자신의 은밀한 곳에 파묻고 단숨에 깊숙이 몸을 내렸다.

그 충격에 숨이 멎었다. 뒤이어 핥듯이 조여오는 살의 감촉에 허리 안쪽부터 전율이 스쳤다.

그런 나를 만족스럽게 내려다보며 미소 지은 여자는 삼킨 물건을 조종하려 허리를 흔들기 시작했다. 때로는 애태우듯이 천천히, 때로는 격렬히 밀어붙였다.

뺨을 붉게 물들인 채 조종하려드는 여자를 올려다봤을 때, 묶여 있던 저주의 실을 끊고 부드러운 여자를 껴안았다.

순식간에 하늘과 땅이 뒤집어진 사실에 여자는 동요한 듯했다.

"무, 무슨 짓을, 이거 놔! 움직이는 건 나야. 당신은 개처럼 안달하면 돼. 원하면서 낑낑대면 돼. 이거 놔!"

"……그래, 나는 개인가."

초조해진 여자는 주도권을 쥐려고 기를 썼지만 내가 더 힘이 셌다. 여자를 꼼짝 못하게 누르고, 여전히 삽입하고 있던 그것으로 몇 번인가 안을 비비자 허망하게 나약함을 드러냈다.

"이, 이 똥개가! 놓으란 말야! 아, 아앗."

"개라면 온몸을 핥으면서 아양을 떨어야지."

여왕처럼 군림하던 조금 전까지와는 딴판으로 약하디약했다. 몸을 비트는 모습도 쾌감에 당황하는 모습도, 사랑받아본 적 없는 한낱 서툰 여자로밖에 보이지 않았다.

"아, 그, 그만, 그만, 아, 아아!"

저항하는 팔은 가늘고 휘두르는 주먹은 약했다.

여자를 깔아 눕히고 그 부드러운 내부를 마음껏 공격했다. 꽉 조인 채 경련하는 그곳으로부터 삽입된 물건을 타고 말로 형용할 수 없는 희열이 피어올랐다. 온몸을 덮치는 쾌감에 휩쓸리지 않으려 이를 악물고 버텼다.

몇 번이고 각도를 바꿔 깊숙이 찔러 넣었다. 가장 깊숙한 곳에 욕망을 쏟아내고 정복욕을 채웠다. 삽입한 물건을 소리 내어 뽑았지만 그것은 여전히 우뚝 솟은 채였다.

"이, 이."

노려보는 눈빛이 장렬했다. 맛을 본 직후인데도 다시 삽입하고 공격하고 싶은 욕망에 사로잡혔다.

기가 센 여자가 화를 못 이기고 내뻗은 다리를 마침 잘됐다 하며 붙잡고 단단히 눌렀다. 수치심으로 붉어진 얼굴을 바로 위에서 내려다보았다.

남자를 흥분시키기에는 충분한 색기다. 여자는 모든 것이 부드럽고 달콤하고 향기로웠다. 개라고 부르겠다면 부르면 된다.

땀도 눈물도 타액도 모든 것을 몸이 기억할 때까지 핥았다. 그중에서도 특히 달콤한, 저 깊은 곳에서 샘솟는 액체는 혀를 찔러 넣고 떨리는 그녀의 은밀한 부위를 충분히 맛보며 빨았다. 이곳에 삽

입하고 비비는 것을 상상하는 것만으로 그것이 튀어 올라 배를 때
렸다.

"잊지 마."

잠꼬대처럼 중얼거린 말은 여자에게 고한 것일까 스스로에게 새
긴 것일까.

"잊지 마. 이 맛도 감촉도 고통도 열도. 내가 만들어낸 모든 것을."

힘껏 비틀어 넣은 순간, 마치 연인에게 하듯 여자가 온몸으로 매
달려 가슴이 뛰었다. 기댈 곳은 나뿐이라고 말하는 것 같은 필사적
인 몸짓에 온몸이 녹을 만큼 쾌락을 느꼈다.

오직 여자에게 형태를 기억시키기 위해서 나는 여자의 가는 허리
를 강하게 끌어안고 짐승처럼 몇 번이고 몇 번이고 가장 깊은 곳에
욕망을 분출했다.

그 밤만은 친구의 얼굴도 경애해야 마땅한 폐하의 얼굴도 여자의
책략으로 죽어간 자들의 얼굴마저도 내 안에서 지워졌다.

이것을 배신이라고 하지 않으면 뭐라고 할까.

그래서 나는 사랑한 여자를 몰아붙이고 몰아붙였다.

……그러나 제 손으로 죽이지 못하고 도망쳤다.

죽였으면 좋았다고, 지금은 생각한다.

그랬다면 그 눈동자에 마지막으로 비친 남자는 다른 누구도 아
닌 나였을 거다.


그 무렵 아클라우스가 뒤로 이웃나라와 내통하는 사실은 중

추부에는 알려져 있었다.

그러나 어느 누가 아클라우스가의 당주가 아니라 그 딸이 중심이라고 생각할까.

아클라우스가 당주 부부를 표적으로 정하고 둘러친 경계망은 그 딸을 포착할 수 없었다. 나날이 피해가 확대되고 불경하게도 폐하를 노린 역적을 체포하고 나서야 흑막이 그녀라는 것을 알았을 정도다.

흑장미는 아마도 자기 이외의 사람들은 믿지 못했을 거다.

부모는 논외로 하고, 폐하에게는 다가가지 못하고 청렴한 입장을 관철하던 전하에게 매달릴 수도 없었으리라.

믿을 건 자신의 기지와 미모. 그리고 그 색과 향에 취한 남자들만이 배신하지 않는다고 생각했던 걸까.

남자들은 흑장미가 관여한 악행에 가담해 더욱이 사리사욕을 채우고 종언을 향해 토실토실 살쪘다.

최후의 날, 폐하를 노린 저주의 실은 무척 강력했다. 한순간의 망설임도 용납되지 않는 일촉즉발의 상황에 날아든 저주의 실을, 아란이 풍인(風刃)으로 막고 내가 검으로 베었다.

저주의 실에 휘감겼던 그때와 달리 강인한 실을 자를 수 있었다.

되갚아줬다는 사실에 가슴이 뛰던 것을 기억한다. 드디어 저 여자에게 힘을 보여줬다고 생각한 거다.

흑장미의 저주와 동시에 폐하를 덮친 역적들은 폐하의 부적에 의해 튕겨나가 땅에 엎어져 있었다. 기사들이 남자들을 제압해 차례로 구속했다.

습격의 소란이 지나가고 고요해진 공간에는 긴 머리카락을 바닥에 흐트러뜨린 채 제압당한 흑장미가 있었다. 그 자리에 있던 모든 이가 숨을 삼킬 만큼 퇴폐적인 아름다움이었다.

순간 교차한 눈빛에 온도는 있었을까. 나는 저주를 끊은 기세 그대로 흑장미를 노려보았다. 더는 약한 아이가 아니라는 것을 보란 듯이 보고주고 싶었다.

그러나 그 중압감 속에서 억센 기사에게 붙잡힌 흑장미는 나를 보고 미소 지었다. 표독스럽고도 아름다운 미소였다.

"……약한 여자를 힘으로 제압하지 않으면 안심할 수 없을 만큼 이 나라의 기사도는 땅에 떨어진 건가요?"

바닥에 짓눌려 괴로울 텐데도 속삭이듯 독설을 내뱉은 흑장미에 기사가 동요했다.

폐하에게 검을 바친 기사로서는 불한당이라 할지라도 여성을 난잡하게 다루는 건 망설여졌을 거다.

"나는 엘로즈. 아클라우스가의 엘로즈예요. 천한 사내가 함부로 만져도 되는 존재가 아니야. 이거 놔."

붙잡고 있던 기사가 황급히 손의 힘을 풀자 흑장미가 천천히 일어났다.

풀어진 머리카락을 아무렇게나 등 뒤로 넘겼다.

막다른 상황 속에서 높아져가는 긴장감이 주위를 덮쳤다. 여자 한 명에게 자리를 제압당하고 있었다.

혼자 꼿꼿하게 선 흑장미의 눈앞에는 그 아클라우스가의 당주 부부와, 흑장미를 옆에서 도왔던 남자들이 마찬가지로 기사에게 붙잡혀 있었다.

흑장미와 다른 점은 자신들을 제압하고 있는 기사들에게 목숨을 구걸하면서 울부짖고 있다는 사실이었다.

"놔! 나는 몰라! 전부 엘로즈가 한 짓이야. 난 모르는 일이야! 아얏아얏!"

"살려주세요, 오라버니! 전 아무것도 몰라요. 전부 딸이 한 짓이에요. 오라버니!"

"폐하, 자비를 베풀어주십시오! 저희는 그저 엘로즈 님이 말하는 대로 말(駒)을 움직인 것뿐입니다!"

"폐하! 저는 그 계집에게 편의를 제공해줬을 뿐, 결코 국정에 해를 끼칠 생각은 없었습니다!"

가족들의 탄핵에도 위축되는 일 없이 그저 조용히 중앙에 서서 그들을 바라보는 온도 없는 물빛 눈동자.

변명하지도 목숨을 구걸하지도 않고 여전히 붙잡혀 있는 부모와 동료였던 남자들을 지긋이 응시했다.

"놔! 난 아무 잘못도 없어! 놓으라고!"

"제발요, 오라버니! 살려주세요!"

"저는 모반 따위 꾸미지 않았습니다! 매국노는 저 여자다! 나는 속은 거라고!"

아클라우스가의 당주 부부가 포승줄에 묶여 끌려갔다.

동료 귀족들도 줄줄이 포승줄에 묶여 끌려갔다.

흑장미는 안색 하나 변하지 않고 고개 숙이는 일조차 없었다.

"……부정한 년! 너는 피도 눈물도 없는 거냐!"

그 모습을 보고 참을 수 없었던지 분노에 휩쓸린 한 명이 욕설을 퍼부었다.

그만하라고 말하기도 전에 사방에서 목소리가 터져 나왔다.

"부끄러운 줄 알아라! 네놈들 때문에 몇 명이 희생됐다고 생각하는 거야!"

"몇 명한테 약을 놨어! 몇 명이나 팔아넘겼어!"

"매춘부년. 이웃나라 남자까지 끌어들이고! 뭐가 고귀한 핏줄이야! 웃기지 말라고!"

폭풍처럼 몰아치는 욕설에 흑장미는 웃었다.

한차례 킥킥 웃더니 똑바로 옥좌를 응시하며 당당히 말했다.

"제가 뭘 부끄러워해야 하나요? 저는 제 궁지대로 움직였을 뿐이에요. 저를 구성하는 것을 지키기 위해서 최선을 다했을 뿐이에요. 여러분은 오해하고 계세요. 전 결코 함부로 그들을 착취한 게 아녜요! 약점을 잡혔다면 힘을 길러서 우위에 서면 돼요. 빚 담보로 팔려가기 싫다면 가치를 높여서 스스로를 사면 돼요. 약을 맞기 싫으면 유능함을 과시해서 망가뜨리기 아깝다고 생각하게 하면 돼요. 도움을 바랄 수 없다면 스스로 지혜를 짜내서 스스로를 구하면 돼요. 지위가 없으면 자신의 지혜, 자신의 시운을 모두 걸고 확고한 지위를 손에 넣을 때까지 항거하면 돼요. 실제로 전 그렇게 해왔어요. 착취당하고 약을 투여당하고 지위에 졌다고 말씀하시지만 그렇다면 그들은 뭘 했죠?

운다고 도움의 손길이 찾아오는 건 동화 속에서나 있는 일이라는 거, 다들 아시잖아요? 그들은 현실을 한탄할 뿐 아무것도 하지 않았어요. 전 제가 행복해지기 위해서 노력했어요. 그게 뭐가 나쁘다고 말씀하시는 거죠?"

담담히 답하는 모습에 순간 기세가 꺾인 남자들이 규탄을 멈췄다.

"나라를 좀먹고 혼란에 빠뜨리고 나라를 팔아넘기려고 했어. 이건 엄연한 반역죄다."

폐하의 무거운 말에도 흑장미는 눈썹 하나 까딱하지 않았다.

"그럼 벌하시면 돼요. 나쁜 전례를 만드시면 돼요. 지금보다 더 미래에 빌린 돈을 갚지 않는 자들이 늘어나겠죠. 아무것도 하지 않으면서 아무것도 해주지 않는다고 한탄만 하는 나약한 인간들로 넘쳐나겠죠. 나라의 재정이 기울지 않기를 기도할게요. 그리고 고귀한 핏줄에게 경의도 표하지 않는 짐승만도 못한 자들이 활보할 이 나라의 미래를 걱정할 뿐이에요. 그럼 안녕히 계세요, 폐하. 아클라우스가 사라진 후에도 치세를 누리시기를. 안녕히 계세요, 여러분. 당신들이 다스리는 이 나라가 앞으로도 나라로서 오래 이어지기를 빌어요."

그런 말을 남기고, 미련 없이 천공 감옥으로 향한 여자.

그 후 혼란이 극에 달한 나라의 중추에서, 우리는 늘 자신을 돌아보는 일을 그만둘 수 없었다.

이것이 올바른 길일까. 이 이외에 최선의 길은 없을까. 몇 번이고 격렬히 의견을 주고받았다.

아클라우스라는 진흙 속에서 활짝 피어난 악의 꽃을 쫓아내는 형태로 봉합된 구 귀족과 신흥 귀족의 결속은 결코 견고하지 않았다. 아클라우스가 없어진 이후의 이윤을 바라고 꿈틀거리는 귀족도 많았다. 더욱이 평민들의 요구는 배움이기에 높았다.

그렇기에 우리는 영웅이 될 수밖에 없었다. 깨끗한 일만으로 나라가 움직일 리 없었다는 것을 깨달았기 때문이다.

흑장미. 네가 남기고 간 말이 우리를 혼란스럽게 했다.

이 길이 최선일까. 또 다른 수단은 없는 걸까.

우리가 지금 서 있는 위치는 선일까. 아니면 악일까.

정의는 하나뿐이라고 생각했던 순진했던 과거의 자신을 웃어 넘겼다. 누군가의 정의가 반드시 만민의 정의일 수는 없었다. 누군가의 악이 누군가의 정의가 되기도 했다.

모래를 씹는 심정으로 정치를 해나갔다. 주위에서 명확한 적이 사라지고 교묘하게 살아남은 간인들이 어둠에 숨어 사욕을 채웠다. 그 왜소한 행보에 초조해하며 만약 흑장미였다면 이런 고식적인 일은 하지 않겠지라고 생각하니 대처하기가 어려웠다.

얽매여서야 되겠느냐는 생각으로 살지만 흑장미, 나는 너에게 여전히 얽매인 채다.

네가 원했던 행복은 과연 뭐였을까.

돈과 지위가 있다면 만족했을까. 남자를 뜻대로 조종하고 나라를 위험에 빠뜨리면서까지 너는 뭔가를 원했다. 누군가를 끌어내리면 또 누군가에 의해 끌려 내려오는 공포가 기다릴 뿐이겠지. 네가 그걸 몰랐을 리 없다.

어느덧 나와 아란, 가일 전하마저 딱딱하고 융통성 없는 어른 남자가 되었다.

희망과 이상이 아름다우면 아름다울수록 텅 빈 자신의 모습에 환멸을 느꼈다. 심지어 그 무렵의 전투가 그리워질 만큼.

그 무렵은 주위 전체가 반짝반짝 빛나 보였다. 순간순간의 전투로 살아 있다는 사실을 실감했다.

너는 우리의 명백한 적이었고,

우리가 정의라는 것은 틀림없는 사실이었다.

너는 우리의 성장을 위해 필요한 호적수였다.

그래서 만약 그때, 라는 생각을 하지 않을 수 없다.

좀 더 빨리 너와 만났더라면 그 가슴속에 품었던 생각을 이야기 해줬을까.

많은 대화를 나누고 너의 이상을 함께 좇을 수 있었을까.

……언젠가 힘을 인정받고 네 옆에 설 수 있었을까.

그건 오직 흑장미만이 알겠지만.


……지금부터 가는 곳에 네가 있을까.

다시 한 번 만날 수 있다면 영혼까지 모조리 불태웠던 그 싸움을 다시 한 번 걸어줄까.

아니면 서로가 서로를 탐했던 그 밤처럼 하나가 될 수 있을까.

생각해보면 네가 획책해준 덕분에 이 나라의 뿌리를 물어뜯는 독충들을 제거할 수 있었다.

그 시대가 있었기에 남겨진 자들은 신뢰를 숭상하고 자기를 돌아보는 기회를 얻었다.

문득 머릿속에 여자 목소리가 되살아났다.

『나는 엘로즈. 아클라우스가의 엘로즈예요. 천한 사내가 함부로 만져도 되는 존재가 아니야. 이거 놔.』

아아, 정말 넌 훌륭하고 아름답고 눈부시기만 한 호적수였다.

지금이라면 분명 발아래 무릎을 꿇고 간절히 바라겠지.

다시 한 번 그 숨이 멎을 듯한 연애<sup>전투</sup>를, 이라고.

너보다 더 내 마음에 남을 여자는 없어.

* * *

확실히 만년의 나는 산다는 것에 질려 있었다. 가까운 자들이 모두 죽고 나도 낙심해 있었을 것이다.

그래서 흑장미와 다시 한 번 만나고 싶다고 바란 거겠지. 잘 알 수 있었다.

그러나 현실을 이해하기까지는 조금 시간이 걸렸다.

당황한 기색을 감추지 못하는 아이를 보고, 주위는 크게 곤혹스러웠을 거다.

환생인지 다시 사는 건지는 아직까지도 모르지만 나는 확실히 「다시」 이 나라에서 과거를 살고 있다.

먼저 죽었다고 생각했던 자들이 살아 있던 날의 모습 그대로 눈앞에 있었다. 그리운 부모님, 그리운 여동생. 울지 않은 나를 칭찬해주길 바란다.

첫 번째 때 가일 전하와 처음으로 만난 건 두 번째인 지금과 같은 유년 학교에서 7살 때였다. 그 7년 후에 평생의 친구라고 부를 수 있는 아란 그레이가 입학했다. 그 후 왕성 근무가 결정되어 가일 전하의 호위 기사로서 나윌 씨와 비알 씨 같은 사람을 지기로 얻고 왕성에서는 림 도사, 마리우스 의사와 깊이 교류했다.

아클라우스가의 암약으로 많은 국익과 인명을 잃었고, 이웃나라의 국경 침공으로 전쟁이 시작됐다.

훗날 호국에 종사하는 중요한 인물들과 어떻게 접촉하면 좋을지를 생각했지만 그럴 것도 없었다. 나는 지금 아직 아이에 지나지 않았다.

쓸모 있고 유능한 인재로 인정받지 않는 이상 무슨 말을 해도 넋두리다. 그러니 우선은 전하의 측근이 되는 것을 목표로 첫 번째 생과 마찬가지로 훈련을 거듭해 전하의 눈에 들기 위해 노력했다.

두 번째에서 만난 가일 전하는 첫 번째 때와 마찬가지로 주위를 잘 살펴보고 있어서 비교적 이른 시기에 주목받을 수 있었다. 측근으로 발탁돼서 안심했다.

지금처럼 신경 써 주신다면 아란 그레이의 상황을 넌지시 고발해 그 집에서 구출하자. 그래, 가능하다면 흑장미의 상황도 확인하고 싶었다.

"크르트. 아클라우스가에 가자. 비알 달폰, 너도 따라와."

"……네?"

"네네~!"

비알 달폰. 여전히 가볍군.

그러나 이웃나라의 침공으로 우울했던 시대에는 그의 그런 면에 꽤나 도움받았었나…….

아니다, 그리워하고 있을 때가 아니다. 어째서 비알 달폰이 지금 왕성에 있는 거지.

그리고 전하, 어째서 지금 아클라우스가에 가는 겁니까.

항간에 떠들썩한 아클라우스가의 몰락 소문이 정말인가요.

지금이라면 아란은 아직 여덟 살이겠지? 내가 아홉 살이니까. 아클라우스의 몰락은 아직 한참 훗날일 터다.

아란이 열두 살 때까지 아클라우스가에서 학대당했다고 말해줘서 어떻게든 구하러 갈 계획이었는데, 예상치 못한 전하의 제의에 황급히 그 뒤를 쫓았다.

갑작스럽게 방문한 아클라우스가는 대문이 열린 채였다. 경계가 허술하군, 하고 인상을 찌푸리는 전하의 뒤를 따랐다.

전하는 망설임 없이 걸어가더니 어느 방 앞에 멈춰 비알 달폰을 재촉해 문을 열게 했다.

대강 문을 두드리자 곧장 열린 문 안쪽에서 이야기를 하고 있던 소녀의 목소리가 들려왔다.

"⋯⋯아아, 충분할까. 몸을 파는 것도 생각해야 할까."

들려오는 목소리는 어리지만 첫 번째 때 만난 그녀의 목소리와 동일했다.

"돼지의 딸은 아무도 사주지 않겠지."

다만 집사와 대화하는 내용이 너무나도 흑장미답지 않아서⋯⋯ 당황했다.

흑장미는 고압적이고 오만하고 깔깔 웃으면서 남을 짓밟아야 하잖아? 정말로 어째서 반했던 걸까, 하고 무심코 자문하고 싶어지는 여자였다.

⋯⋯하지만 속마음을 말하자면 어쩌면 이번에는 적이 되지 않고 서로 협력할 수 있을지도 모른다. 그건 희망에 불과하고, 소망이 전면에 나온 거라는 건 알지만.

"그때는 내가 사!"

훗날의 근위대 대장이 큰 소리로 선언하고, 흑장미에게 싸늘한 눈빛을 받고 있었다.

긍지 높고 남에게 도움받기를 싫어하는 점은 변하지 않은 듯했다.

"자, 잠깐! 말이 지나쳤어! 아가씨!"

"차였군, 비알."

애초에 흑장미는 흑장미니까. 자존심이 굉장할 거다. 아무리 괴로워도 스스로 헤쳐 나가려고 하는 여자다.

첫 번째 때 흑장미가 했던 일은 대강 기억하고 있으니 어떻게든 악행은 막을 수 있다고 생각했다.

그러니 흑장미가 천공 감옥에 수감되는 미래는 없다.

게다가 이렇게 이른 단계에 구제가 이루어진다면 흑장미가 흑장미로서 손을 더럽힐 일도 없겠지.

환생인지 다시 사는 건지는 아직까지 모르지만 내가 이렇게 같은 시간을 사는 이유를 알 것 같았다.

지금 생에서 처음으로 만난 흑장미는 전하에게 최고의 예를 갖췄다.

느긋하고 우아한 그 모습에, 가슴속에서 솟구치는 뜨거운 무언가를 꿀꺽 삼켰다.

······살아 있다. 흑장미가 살아 있다.

천천히 얼굴을 든 이번 생의 흑장미와 눈이 마주쳤다. 그늘이 없는 영롱한 눈동자였다. 기억 속의 눈빛보다 앳된 그 눈빛에 마음이 아팠다.

솟아오르는 환희를 느끼면서 흑장미의 물빛 눈동자를 들여다봤다.

그런데 눈이 마주친 흑장미가 두 눈을 크게 뜨고 나를 바라봤다. 그 놀란 표정에 순간 흑장미도 다시 한 번 생을 사는 게 아닐까 하고 착각했다.

당황한 채 흑장미와 서로 바라보고 있는데 기분 탓인지 흑장미의 눈빛에 열이 깃들고 뺨이 붉어진 것처럼 보였다. 아니다, 기분 탓이다.

흑장미가 열에 들뜬 얼굴로 나를 바라볼 리 없잖아. 자만도 적당히 해야지. ······하지만 난폭하게 벗기고 올라탔던 그때와 같은 눈빛 같은······. 착각이겠지.

이럭저럭 하는 사이에 집사가 아란 그레이를 방으로 데리고 들어왔다.

겨우 흑장미에서 시선을 떼고 아란을 향했다. 그리운 친구와의 두 번째 첫 만남에 가슴이 뛰었다.

눈을 마주친 순간 할 말을 잃었다. ······어, 어라?

이 반짝거리는 미소를 짓는 소년은 누구지.

첫 번째 때의 의심병이랄까 주위 사람들은 모두 적이라고 생각하는 듯한, 그 광견 같은 느낌이 전혀 없습니다만?

어라? 너, 정말 아란이야? 라고 생각하는데 흑장미가 아란으로 추정되는 소년을 옆에 서게 한 뒤 남매가 정확히 예를 갖췄다. 눈을 의심했다.

흑장미 너 아란을 그렇게 눈엣가시처럼 여겼었잖아. 옆에 서는 것도 불쾌하다고 소리 지르면서 발길질했었잖아!

"······아란, 전하께 인사드리렴. 전하, 못난 아비가 낳은 제 남동생 아란 그레이입니다. 이런 식으로 인사드리는 무례를 부디 용서하세요."

"처음 뵙습니다. 전하. 아란 그레이라고 합니다."

"허한다. 고개를 들라. 아란 그레이. 지금 여덟 살이라고 했나? 나는 가일 도울블. 막 열 살이 됐어. 여기 칙칙한 녀석은 크르트 메이덴."

멍하니 올려다보는 그리운 아란을 봤다. 밝은 얼굴색과 성장 상태로 보아 학대는 없었다는 것을 알 수 있었다. 살짝 안심했다. 그리고 어쩐지 도전적인 눈빛을 한 흑장미를 보고, 나는 첫 번째 때와 다르다는 것을 통감했다.

이런 정직한 눈빛을 한 흑장미는 모른다. 이렇게 반짝거리는, 솔직하고 사랑스러운 아란도 모른다.

첫 번째 때라면 있을 수 없는 전개에, 나는 그저 잠자코 방관하는 수밖에 없었다.

"……전하, 아란은 다섯 살 때부터 면학에 힘쓰고 단련을 게을리하지 않았으며 영지 경영에도 흥미를 갖고 정진해왔습니다. 그것은 오로지 부모님께 인정받고자 하는 어린 마음의 발로였습니다. 하지만 어머니는 끝까지 아란을 가족으로 인정하지 않으셨습니다. 아버지도 그런 어머니를 따라 아란의 존재를 무시하게 된 것입니다.

저는 이번 불상사로 인해 땅에 떨어진 후작가의, 그것도 부모님께 버림받았던 아란이 숨겨진 마법적 소양을 발현한 것이야말로 하늘의 응답이라고 느꼈습니다. 전하와는 피가 섞이지 않은 사촌 남동생이긴 하지만 아란의 색채는 왕족 특화의 색채입니다. 틀림없이 몇 대 전 신하에게 시집간 왕족 선조가 있겠죠. 이 엘로즈, 3년을 아란과 동고동락해왔습니다. 전하, 아란은 큰 그릇이 될 인재입니다. 필시 왕국의 수호자가 될 것입니다. 하지만 아직은 병아리. 게다가 지켜줘야 할 어미새는 그 임무를 방기했습니다."

여기서 흑장미가 숨을 들이마셨다. 자연스럽게 팔에 힘이 들어갔다.

흑장미가 온몸에 힘을 모은 것을 알았다. 가슴을 활짝 펴고 의연히 앞을 바라보며ㅡ.

"따라서 아클라우스가의 현 당주 엘로즈는 아란 그레이를 아클라우스의 일원으로 보지 않으며, 일체의 관련이 없음을 선언합니다. 전하, 지금부터는 왕가에 아란의 후견을 부탁드립니다."

단숨에 잘라 말했다.

"누님!"

"목소리를 낮추세요. 전하의 앞입니다."

시선을 돌리지 않고 잘라 말한 흑장미의 모습에 이번에는 전하가 인상을 찌푸렸다.

"그러니까, 아클라우스가의 모든 빚을 네가 짊어지겠다는 거야?"

"그렇습니다."

"엘로즈 누이, 아란은 처음부터 그렇게 할 생각이었어. 아란 그레이, 너는 왕가 소속이 되어 나를 옆에서 보좌하기 위해 앞으로 나와 같은 학원에서 단련하게 될 거야."

"⋯⋯감사합니다. 전하."

전하의 대답에 안심했는지 순간 흑장미의 온몸에서 힘이 빠져나갔다. 빙그레 미소 짓는 그 얼굴이 그 나이답고 가련해서 첫 번째 때의 흑장미의 모든 것을 얼려버릴 것 같은 냉소와 비교하고 말았다.

아란이 이상한 건 어쩔 수 없다치고, 흑장미의 이 변한 모습은 뭘까.

꽉 쥔 주먹이 아플 정도였다.

내 앞에서 전하가 기쁜 듯이 흑장미를 보고 웃었다. 그 무렵에는 있을 수 없는 광경이었다.

"할아버지는 네가 아란 그레이를 내쫓을 거라고 하셨어."

"당연해요. 아란을 위해 움직였던 예산 따위, 당주가 된 저에겐 한 푼도 없어요. 그렇게 무시당해온 아이를 이제 와서 가인으로 붙잡아둘 만큼 후안무치하지 않아요."

"왕족 특화의 힘을 발현한 우수한 인재인데도?"

"아란이 노력한 결과예요. 거기에 집안의 가치나 핏줄 같은 건 상관없어요."

"부채를 다 갚지 못하면 네가 어떻게 되는지 알고 있는 거야?"

"전하. 왕가가 아란을 보호해주기로 확약해주신 것만 해도 과분할 정도의 온정이에요. 저까지 신경 쓰실 필요 없어요. 폐하도 할아버지도 조용히 지켜보고 계세요. 그것이 왕가와 저의 올바른 거리예요. ……분명 핏줄로는 이어져 있지만 오히려 핏줄로 이어진 탓에 후작가는 오만했어요. 다시 똑같은 전철을 밟을 수는 없어요."

"그럼 너 혼자 괴로워질 뿐이야."

"얕잡아 보지 마세요. 저 엘로즈. 아클라우스가의 엘로즈예요. 인륜을 저버렸다고는 해도 친부모님을 간계에 빠뜨려 옥에 가둔 악랄한 딸……. 이렇게 뒤처리를 맡겨주신 것만으로도 충분해요."

그렇게 훌륭하게 말을 매듭지은 여자는 악랄한 것으로 유명한 아클라우스의 첫째 딸.

아마 이번 생에서도 평생에 한 번뿐인 연애 상대다.

＊＊＊

두 번째 생이 주어지고, 첫 번째 때와 다른 사실에 당황할 뿐이
었다.

필두는 아란.

첫 번째 때의 길들지 않는 야생동물 같던 아란이 품행방정한 시
스터 콤플렉스가 되어 있었다. 마음을 터놓고 이야기할 수 있게 되
기까지 시간이 걸렸던 기억이 있지만 이번에는 그렇지도 않았다. 배
우는 모든 것을 흡수하려고 안간힘을 쓰는 듯했다. 오히려 병아리
처럼 뒤를 쫓아다녔다. 미래의 처남이다. 돕는 것에 이의는 없었다.

학원 시절이나 기숙사 생활, 그리고 기사가 되어 왕성에서 근무
하게 된 지금도 입만 열면 "누님의", "누님에게," "누님이."다.

때때로 도착하는 개인 물건 상자를 열어보면서 미소 짓는 모습에
서는 첫 번째 생에서의 한 마리 늑대 같던 거친 모습은 찾아볼 수
없다.

그리고 첫 번째 때와 다른 최대의 수수께끼가 흑장미의 수제 부
적이다.

……그 위력은 뭐냐고.

방화범이 도망치기 위해 사용한 불의 마법이 눈앞에서 지워졌을
때는 눈을 의심했다.

도적 단속이 한창일 때 극약에 노출됐을 때도 눈 깜짝할 사이에 주위에 있던 동료가 뒤집어쓴 독까지 전부 무효화해서 심장이 철렁했다. 동료에게 얼버무리느라 힘들었을 정도다.

기묘한 모양의 진이 수놓인 부적은 신전의 호부조차 귀여운 주술로 느껴질 만큼 굉장한 효력을 지니고 있었다.

첫 번째 생의 흑장미도 자수나 길쌈을 이용한 저주가 특기였지만 이 묘하게 각이 진 진을 본 기억은 없다.

"아란, 이 부적, 마법이나 독도 무효화하는 모양인데."

"역시 누님이에요!"

"단속 때 입은 타격이 하룻밤 자고 났더니 회복됐던데."

"역시 누님이에요!"

"……어이, 아란. 얼버무리지 마. 원래라면 장군께 보고해야 할 사안이라고."

"괜찮아요, 선배. 왕성 근무인 근위 기사 헌병대에는 이미 배포했어요. 다만 이건 누님이 말하길 특별제작이라서 효과가 큰 거겠죠. 아, 선배. 전하께는 비밀인 모양이니 언동에는 신경 써주세요."

"……그래."

특별제작. 두근거리는 단어다. 흑장미가 이걸 나만을 위해 만들어줬다고 생각하니 가슴속이 달콤하게 아려왔다. 슬쩍 부적을 가슴에 품고 있자 아란이 뒤이어 말을 했다.

"제가 신세를 지고 있으니까 고맙다는 인사 대신이래요. 저랑 한 쌍이에요."

**흑장미** 너란 녀석은……! 지금도 남자를 농락하는 건 변하지 않은 거냐!

"아, 선배. 누님이 보낸 선물 중에 선배 앞으로 온 것도 있어요. ……엘프의 연고요."

"아, 그거 고맙네. 슬슬 사러 가려고 했는데."

엘프 마을에서 제조된 약은 효능이 뛰어나 유용하게 쓰이는데 애석하게도 구하기가 어렵다. 그리고 흑장미가 만든 부적은 오히려 강력한 탓에 생명에 지장이 없는 작은 찰과상이나 자상에는 효과가 없었다.

"편지에도 서로를 돌보는 일이야말로 신뢰를 쌓고 친해질 수 있는 비결이라고 적혀 있었어요. 누님도 참, 우리가 아직도 다친 상처 투성이인 아이라고 생각하는 거죠."

"엘로즈 양에게 우린 아직 햇병아리인가."

킥킥대는 아란을 퉁한 눈빛으로 봤다. 흑장미에게 난 아직 애송이인가, 하고 보내온 연고의 뚜껑을 열었다.

"웅? 구호소에 있는 것보다 냄새가 부드럽네."

어쩐지 달콤한 꽃향기 같은 냄새가 났다.

"와, 최상품인가 봐요. 누님은 엘프 분들의 신뢰와 위장을 꽉 잡고 있으니 아마 최상품을 받은 거겠죠."

그렇게 말하며 다음 물건을 상자에서 꺼내는 아란 옆에서 무료함을 달래듯 연고를 손 안에 놓고 돌렸다.

흑장미. 넌 정말 다시 태어난 거구나.

전해 듣는 너의 이야기는 가지각색이라 무심코 머리를 감싸 안고 신음할 때도 많다. 당치도 않은 짓을 저질러서 폐하의 간담을 서늘하게 했다. 너무 밀어붙이지 마. 그래 봬도 폐하는 섬세하다고.

나도 네 등을 쫓기만 하는 풋내기로만 있을 순 없다.

두 번째 생인 지금, 너의 마음을 쫓아 반드시 손에 넣어 보이겠다.

그 눈이 두 번 다시 절망으로 물들지 않도록 네 옆에서, 네 곁에서 이번에야말로 너를 위해 내 검을 바치겠다.

……그래도 네 살이라는 나이 차이는 메워지지 않는다고 알고 있었다.

너의 마음을 원하는 자는 그야말로 차고 넘칠 만큼 넘쳐났다.

너를 마중하러 엘프 마을에 가는 사람을 뽑겠다고 선언하자 국가 차원에서 토너먼트전이 열렸을 정도다.

넌 우리의 치유제이자 구원이었다.

그래서 흑장미.

검을 바쳐 마땅한 널 위해 이 몸이 찢어지는 한이 있어도 무릎 꿇지 않겠다고 맹세했다.

그렇게 맞이한 토너먼트전에서 간신히 세 번째 의자를 획득했다.

그러나 만전을 기해 마중하러 간 엘프 마을에서 네가 성장하지 않았다는 걸 알았다.

메워지지 않는다고 생각했던 나이 차이가 단숨에 역전돼 있었다. 놀란 것은 물론이거니와 이로써 아무 걱정 없이 널 맞이할 수 있다고 기뻐한 것도 잠시.

나와 아란이 연인 사이인 줄 알았다고 했다. 흑장미, 난 남자한테는 관심이 없다고.

그 오해에 어이가 없었지만 더욱 가혹한 한 방이 기다리고 있었다. 당분간 부상(浮上)은 어려울 성싶다.

"남동생…… 남동생인가……."

이전 생에서의 적대 관계보다는 몇 단계 흐뭇한 호칭이지만, 가라앉은 기분은 나아지지 않았다.

「남색」뿐이라면 직접 남자임을 증명하면 의혹도 풀리겠지만 「남동생」이어서는 남편은커녕 연인도 될 수 없다.

악몽이라면 깨고 싶었다.

흑장미는 누구나 눈살을 찌푸리거나 두려움을 갖고 경멸하는 여자였다. 그런 흑장미를 구원할 수 있는 건 나뿐이라고 어느새 자만하고 있었던 걸까.

흑장미를 알고 있다고 생각하고 흑장미의 절망을 알려고도 하지 않았던 내가.

『전 나라의 제물이라고 생각했어요. 필시 최대한 교섭을 이끌어내기 위한 정략결혼의 수단이 될 줄 알았어요.』

그 고백을 듣고 가슴이 아팠다.

첫 번째 때의 그녀는 누구의 도움도 필요로 하지 않았다. 이용하는 건 오직 자신의 기지였고 나머지는 말(駒). 멋지게 나라를 휘저어 혼란의 소용돌이 속에 처박았다.

두 번째 때의 그녀는 주위의 어른을 믿고 뜻대로 휘두르며 원하는 최선을 이끌어냈다.

어째서 좀 더 일찍 행동하지 않았을까.

첫 번째 때와 마찬가지로 아클라우스가의 횡포는 소문으로 듣지 않았나. 막기 위해서 나도 움직였어야 했다.

그 결과 이렇게 늦어서 고배를 마시게 됐다.

바닥에 주저앉아 있는 나를 보다 못한 가일 전하가 더 따라준 술을 말없이 비웠다.

……그렇다고 해도 첫 번째 때와 다르게 어째서 현자와 궁정 의사가 아클라우스가에 가게 됐을까.

광견 같던 아란 그레이는 훌륭한 시스터 콤플렉스가 됐고, 흑장미로 불리던 악랄한 아가씨는 흔적도 없었다.

그 궁정 의사도 내 앞에서 쓴 술을 삼키고 있었다.

지금 이 자리에 없는 현자의 동향을 언급하는 일은 없었다. 엘로즈가 원하지 않는 이상 무리는 하지 않겠다고 폐하께 맹세했기 때문이다.

그렇다면 지금 흑장미는 현자를 원하고 있을까라는 생각에 이르러, 가슴속에 소용돌이치는 질투의 불꽃을 억눌렀다.

자기의 행복을 음미하고 있을 현자가 진심으로 부러웠다.

생각을 떨쳐내듯 술을 들이켰다. 옆에서 마찬가지로 바닥에 주저앉아 흑장미가 만든 술을 마시고 있는 마리우스 선생도 그런 생각을 떨쳐내려 필사적인 듯했다.

아무리 마셔도 취할 수 없다는 것은 나도 알고 있었다. 그렇다면 대화로써 기분을 달래보려 물어봤다.

"마리우스 선생님, 어째서 아클라우스가에 잠입을 하게 된 겁니까?"

"가정교사가 계기였나…… 마르크의 보고서였나."

"마르크…… 엘로즈 양 가문의 집사였죠."

"선대의 첩자야. 올빼미로 불리는 실력자지. 그래, 처음은 마르크가 가정교사를 보내달라고 한 거였어. 그 말을 곧이곧대로 받아들인 선대가 우리를 추천했고…… 처음엔 림과 바로 거절했어…… 어째서 여장 같은 걸 한 건지. 젠장."

과거를 돌이켜보는 마리우스 선생 옆에서 취하지 않는 술을 마시며 집사의 모습을 찾았다.

과연 올빼미인가 싶게 존재가 희미한, 만만찮은 남자다.

그러나 엘로즈는 유난히 따르는 듯했다. 할아범, 할아범 하며 의지하는 모습에 질투한 적도 있다.

"……마시고 있나."

술병을 들고 온 건 황송하게도 선대였다. 안주를 들고 뒤따르는 마르크와 시선이 마주쳤다.

"마르크 씨. 선대의 그림자인 당신이 아클라우스 남매를 돕기로 한 건 어째서죠?"

술기운이 아니었다면 물어볼 수 없었다.

"오오. 그건 나도 듣고 싶군."

마리우스 선생이 동조하지 않았다면 적당히 얼버무려졌을 거다.

가일 전하와 이장님이 흥미로운 표정으로 이쪽을 보고 있었다. 그러나 나는 마르크라는 이름을 가진 그림자에게서 눈을 떼지 않았다.

아클라우스가의 집사장인 마르크는 눈을 피하지 않고 나를 바라봤다. 무척 기묘하게도 마르크와 엘로즈는 어딘가 닮은 것처럼 보였다. 이상한 일이었다. 띠고 있는 색채며 무엇 하나 같은 게 없는데 그 눈이 닮았다고 생각했다.

"……아아, 좋은 눈을 가졌군요. 아가씨와 같은 눈이야."

그렇게 말하며 웃은 남자의 깊은 심중에 이를 갈았다. 전생과 합치면 동년배일 텐데 압도적인 차이를 느꼈다. 그것도 이 몸에 영향을 받아서일까.

"나는 주인님의 그림자입니다. 드러내놓고 움직이는 일은 없습니다. 하지만 이런 나도 마음이 움직일 때는 있습니다. 암담한 처지에 놓인 아이가 미래를 포기하지 않고 발버둥치는 모습이나 적은 지식으로 살아남으려 애쓰는 모습에 감동하기도 합니다. 무심코 손을 뻗고 마는 일이라면 당신도 알겠지요."

눈을 감은 남자가 그렇게 말하고 작게 웃었다.

"그 삶의 자세에 감동해서 도왔다. 그뿐인 일이라면 나 같은 사람의 움직임은 미미한 것. 모든 것은 행운을 끌어들인 아가씨의 재량입니다."

―행운인가.

""그 행운을 불러들이는 사람이 되고 싶었어.""

생각지 못하게 마리우스 선생과 목소리가 겹쳤다.

서로를 보며 잔을 들었다.

"엘로즈 양의 행복을 위하여."

"로즈가 행복해지기를."

"뭐야, 기림을 저주하지 않고?"

이장님이 그렇게 시치미를 떼며 잔을 기울였다.

"그런 짓은 안 해요…… 그걸로 그녀가 우는 건 싫으니까요."

다른 남자를 생각하며 우는 모습 따위 보고 싶지 않다. 그리고 현자가 지울 수 없는 추억이 되는 것도 용납할 수 없다.

"그녀가 행복하다고 웃어준다면 그걸로 족해요."

그래도 가능하다면 내 손으로 행복하게 해주고 싶었다.

내 옆에서 웃길 바랐다. 흘리는 눈물조차 다른 누구도 아닌 나를 위한 것이기를 바랐다.

"……그러니 다음엔 절대로 실수하지 않아."

누구에게랄 것도 없이 스스로에게 말했다. 두 번째가 있었다. 세 번째가 없다고는 누구도 단언할 수 없었다.

"크르트?"

"……아뇨, 아무것도 아닙니다. 전하."

……흑장미. 아무래도 날 취하게 하는 건 술이 아닌 모양이다.

그때나 지금이나 날 취하게 하는 건 너뿐이다.

몇 번을 다시 태어나도 그건 분명 변치 않겠지.

술은 투명한 물처럼 보이지만 달콤하게 목구멍을 태웠다.

흑장미가 만든 술은 지금의 그녀를 나타내듯 한없이 투명하고 섬세하고 쓰고 달았다.

목구멍을 빠져나가 잔혹한 단맛의 여운을 남길 뿐이다.

취하지 않는 술을 몇 잔이나 마셨을까. 문득 얼굴을 들자, 주위에서 마시고 있던 자들이 어느새 숨소리를 내면서 자고 있었다. 마르크가 손님들에게 담요를 덮어주며 돌아다녔다.

말없이 건넨 담요를 받아들고 혼자 술잔을 기울였다.

"로즈⋯⋯."

마리우스 선생의 목소리가 들렸다. 그 역시 한때의 꿈속 세계로 여행을 떠난 걸까. 꿈속에서 그도 흑장미를 안을까.

숨을 토하며 얼굴을 들었다. 꿈을 꿀 수 있는 녀석은 좋다.

꿈은 웅변이고 무엇도 숨기지 않는다. 생각한 대로 행동하고 생각한 대로 할 수 있다. 마리우스 선생의 꿈속에 나오는 흑장미도 달콤하게 머릿속을 흔들어놓는 걸까. 눈동자에 사랑을 닮고 팔을 뻗을까. 마리우스 선생이 원하는 대로 팔을 벌리고 다리를 감고 그리고.

나는 한 번 질끈 눈을 감고 머리를 흔든 뒤 천천히 눈을 떴다.

누군가의 꿈속에 나오는 흑장미까지 질투하는 건 말기다.

"잠시 머리를 식히고 올까⋯⋯."

모두 잠든 귀빈실에서 빠져나와 휘청거리며 밤길을 거닐었다. 엘프 마을은 시간의 흐름이 인간 세계와는 다른 모양이다.

울창한 숲 속. 정처 없이 깊숙한 곳으로 발길을 뻗었다.

현자와 함께 있는 흑장미의 기척을 뿌리치고 싶었다.

걷다 보니 빛나는 벌레가 한 마리, 또 한 마리 다가와 눈앞에서 명멸을 반복했다.

나는 빛나는 벌레가 이끄는 대로 술김에 그 뒤를 쫓았다.

얼마나 걸었을까. 마침내 엘프 마을의 숲 안쪽, 빛나는 벌레를 가득 휘감고 있는 거목을 발견했다.

그 고요한 아름다움은 흡사 세계수를 연상케 했다.

"······신목(神木)인가?"

나는 들고 온 담요를 깔고 나무 아래 앉아, 들고 온 술을 땅에 부었다.

그런 뒤 나무에 등을 기대고 머리 위를 올려다봤다. 별이 쏟아지는 밤하늘 아래 우듬지가 하늘을 가득 뒤덮고 있고, 나뭇가지에는 빛나는 벌레들이 반짝이고 있었다.

여유로운 거목의 자태는 흑장미와 같고, 달라붙은 광충은 결국 우리 구혼자일까.

첫 번째 때, 사랑을 깨달았을 때는 늦었다.

두 번째는 「남동생」이라고 불릴 만큼 신뢰를 얻었지만 사랑은 깨졌다.

그래도 널 만나지 않는 게 좋았다고는 생각하지 않는다.

널 몰아붙이고 탄핵한 내가 널 원하는 게 우스운 일이라는 건 알지만, 그래도 원하지 않을 수 없다.

좋아지지 않을 수가 없는 것이다.

눈을 감고 기억 속의 풍경에서 흑장미를 찾았다.

봄. 학원의 수련장 근처의 나무 그늘. (첫 번째 때의 흑장미가 전하를 만나러 왔었다.)

여름. 왕궁의 커튼 뒤. (한 측근 귀족과 키스를 하고 있었다.)

가을. 중앙 공원의 분수대. (아란을 물속에 밀어뜨리고 큰 소리로 웃고 있었다.)

겨울. 아클라우스가의 귀빈실. (아란을 감싸며 대치한 나를 몹시 노려봤었다.)

그리고 다시 봄 학원의 오래된 교회에서 제단을 노려보며 신 따위는 없다고 내뱉듯이 말했었다.

기억 속에서 흑장미는 어디까지나 흑장미였다. 의연히 앞을 바라보며 자신의 행위를 이해하고 있었다. 어떤 악행으로부터도 눈을 돌리지 않고 서 있었다.

장면은 생각하는 대로 바뀌었다. 그 속에서 오직 그녀를 찾았다.

수련장 모퉁이. (먹색 옷을 입은 흑장미가 삐죽 얼굴을 내밀고 우리를 보고 있었다.)

왕궁의 회랑. (똑바로 정면을 응시하며 탄핵 장소로 나아가는 흔들림 없는 뒷모습.)

분수대 맞은편. (아란과 물을 서로 끼얹으면서 즐겁게 웃고 있는 어린 모습.)

수련장의 귀빈석. (기사의 시중을 받고 도발적으로 웃어 보인 붉은 입술.)

스쳐 지나가고 빠져 나가는 그림자를 몇 번이나 뒤쫓았을까. 몇 번이나 뒷모습을 배웅했을까.

그건 첫 번째 흑장미였다가 두 번째 흑장미였다가 다양했다.

나를 보고 뺨을 물들이는 것도 너고, 인상을 쓰며 싫은 소리를 내뱉는 것도 너다. 모두 엘로즈다.

난 널 잘못보거나 하지 않는다. 이전 생과 지금의 생. 흑장미가 취한 길은 달랐지만 결과를 보면 분명하다.

—너의 본질은 변하지 않았다. 그렇지?

첫 번째와 마찬가지로 두 번째도 나라를 위해서 자기를 버리고 돌진할 뿐이었다.

그렇다면 첫 번째의 너 역시 손을 내밀면 서로를 이해할 수 있었을지도 모른다.

시점은 몇 번이고 바뀌었다.

스쳐 지나간 그림자를 쫓아 계속 달렸다.

학원 복도, 교실, 왕궁의 복도, 안뜰…… 오래된 교회.

거친 숨을 가다듬고 손잡이를 잡았다. 문을 열고 빛이 들어오는 교회 안으로 들어갔다.

스테인드글라스를 지나 눈이 부시도록 빛나는 중앙에 검소한 수녀복을 입은 엘로즈가 서 있었다.

"흑장미…… 엘로즈."

"……크르트 님?"

눈앞에 있는 사랑스러운 여자는 놀란 기색을 숨기지도 않았다.

먹색 옷을 가느다란 손가락으로 더듬어 확인하면서 당황한 듯 주변을 두리번거렸다.

"……저어, 제가 어떻게 이곳에 있어요?"

"꿈이니까."

"어머, 이상한 크르트 님."

까르르 웃어넘기는 흑장미도, 그런 그녀에서 눈을 뗄 수 없는 나도. 있을 수 없는 일이라는 것을 알고 있었다.

"크르트 님은 여기가 어딘지 아시는 거죠? 꿈이라고 하지 마시고 가르쳐주세요."

"난 딱히 거짓말을 하는 게 아니야. 난 널 찾아서 여기에 왔어. 널 만나고 싶어서 꿈을 건너 여기까지 왔어. 넌 어째. 여기에 오기 전까지 어디에 있었어?"

"저요? 전……."

살짝 생각하는 모습을 보인 흑장미의 얼굴이 불을 뿜은 것처럼 빨개졌다.

순간 빨개져서 허둥지둥하는 흑장미의 모습에 아아, 그랬었지, 라는 생각에 이르렀다. 현자와 시간을 보내고 있었을 터다. 현자의 사람이 된 거다.

하지만 흑장미를 앞에 두고 있으니 두둥실 피어오른 향긋한 냄새에 멀미가 났다.

손을 뻗지 않을 수 없었다.

끌어안지 않을 수 없었다.

이상하다는 듯이 나를 올려다본 흑장미의 무방비한 눈동자를 발견했다.

살짝 손을 뻗으면 닿을 곳에 가녀린 어깨가 있었다.

"……크르트 님?"

꿈이라면 더더욱 깨기 전에 잡아야 했다.

"크르트 님, 안색이 안 좋아요. 조금 쉬시는 게, ……어머, 호호호. 여긴 꿈속이었죠. 그렇다는데 나도 참."

흑장미가 걱정스러운 듯 미간을 찌푸리며 내 상태를 살폈다. 너에게 난 여전히 남동생인 건가. 킥킥 소리 내어 웃는 흑장미의 부러질 듯한 허리에 손을 붙이고 끌어 당겨 안았다.

"어머, 크르트 님?"

서 있지 못하는 건가 하고 걱정하며 얼굴을 들여다본 흑장미의 어깨에 얼굴을 묻었다.

"……사랑해. 네가 악녀건 성녀건 나에겐 변함없어."

"아."

갑작스러운 고백에 흑장미는 당황한 듯 두 팔을 올렸다 내렸다 하며 어색한 몸짓을 했다.

증오할 만큼, 궁지에 몰아넣을 만큼 사랑했던 여자다.

증오하지 않을 수 없을 만큼 애태웠던 여자다.

피를 토하는 듯한 세월을 세고 마침내 나는 자신 안의 진실을 깨달았다.

의지해주길 바랐다.

매달려주길 바랐다.

그때 너를 뒤쫓고 몰아넣었던 것은 네가 의지하는 상대 따위 아무런 도움도 안 된다는 것을 알게 해주고 싶어서였다. 환멸하게 만들어 체념시키고 싶어서였다.

그때 나는 기다렸다. 네가 나에게 졌다는 것을 스스로 깨닫기를 기다렸다.

천공 감옥 따위에 보낼 마음은 없었다.

그래도 이르는 곳이 그곳이라면 오만하게도 네가 내 손을 잡을 거라고 믿었다.

간절히 손에 넣고 싶었던 건 지위도 명성도 아니었다. 오직 한 여자였다.

그런데도 고상한 너는 누추한 나의 소망 따위 훤히 내다보고 모든 것을 뿌리치고 떠났다.

남겨진 나는 꼴사납게도 그 사실을 인정하고 싶지는 않았다. 인정하면 끝없이 비참해질 뿐이었다.

그래서 아무렇지 않은 척 쓰라린 마음을 묻은 채 너의 뒷모습을 배웅했다.

가지 말라고 소리치는 내 안의 목소리를 들으면서 붙잡지조차 못하고 후회에 시달리며 일생을 마쳤다.

천공 감옥에 한 번 들어가면 영원한 이별인 걸 알면서도 하찮은 자존심에 집착하며 사랑하는 여자를 붙잡지조차 않았다.

그래서 새삼스러웠다. 이 해후는 새삼스러운 것이다.

어린 그녀에게 구원의 손을 내민 현자가 그녀에게 선택받는 것은 어쩔 수 없었다.

하지만 눈앞에 간절히 바라던 여자가 있다.

심장의 두근거림을 들키지는 않을까 망설이면서, 차라리 꼴사나울 만큼 그녀에게 휘둘리고 있다는 사실을 그녀가 알아주길 바랐다.

이렇게나 사로잡혀 있다는 걸 알아주길 바랐다.

이미 말만으로는 부족했다. 그날 밤처럼 뜨겁게 가슴이 타들어 갈 듯한 격정을 다시 한 번 맛보고 싶었다.

"이건 꿈이니까 네가 괴로워할 필요는 없어."

소녀는 나나 흑장미보다 어리고, 갑작스런 고백에 당황하고 있었다.

품에 당겨 부드러운 몸을 안았다. 억누르고 있던 감정이 포효했다.

품에 안긴 소녀의 부드러운 감촉에 굶주릴 정도의 욕망이 끓어 올랐다.

이미 끌어안고 볼을 붙이는 것만으로는 부족했다.

손가락을 감고 그녀를 느끼는 것만으로는, 끌어안고 고동을 느끼는 것만으로는 안 되었다.

다정하게 대하고 싶었다. 이전 생에서 집요할 정도로 몰아붙인 그녀이기에 다정하게 대하고 싶었다.

그러나 한 번 정을 나눈 여자이기에 눈을 맞추는 것만으로는 이미 부족했다.

"엘로즈, 이미 널 안는 것만으로는 부족해."

당황하면서 올려다보는 눈동자를 응시한 채 한 손으로 뺨을 어루만졌다.

"키스하고 싶어. 더 가까이에서 널 느끼고 싶어. 전부 빼앗고 싶어. 누구에게도 넘기고 싶지 않아."

"……그게, 이건 꿈이잖아요? 전 꿈속에 있는 거죠? 이게 저의 소원이라는 건가요?"

얼마나 죄 많은 거야, 라며 멍하니 중얼거린 흑장미가 어리고 덧없어 사라질 것만 같았다. 그래서 나는 떨고 있는 그녀에게 서둘러 말했다.

"네 꿈이 아냐. 이건 내 꿈이야. 죄 많은 사람은 네가 아냐."

이 꿈에 죄는 없다. 죄인으로 끌려가야 하는 건.

"내 죄야."

잘라 말하고 거칠게 입술을 훔쳤다. 누구의 잘못도 아니다. 이건 내 소망이 보여준 욕망이다.


소녀의 입술은 촉촉하게 젖어 있었다. 그 탄력을 정신없이 탐했다. 포개고 싶다. 몇 번이라도 이렇게.

"아, 크, 크르트 님. 그만, 아아."

"아니. 입술을 포개는 것만으로는 부족해. 끌어안아도, 입 맞추고 숨결을 나눠도 부족해. 네 안을 나만으로 가득 채우고 싶어."

"크르, 크르트 님……. 진정, 진정하세요. 아란의 얼굴을 볼 수 없게 돼요!"

오히려 진정하는 건 너라는 걸 깨달았다. 아직도 나와 아란을 오해하는 건가.

"……죄 이전의 문제군. 꼼꼼히 가르쳐주지. 나는 남색에는 취미가 없어."

"우우우읍!"

흑장미는 익숙할 거라고 생각했지만 전혀 그렇지 않는 듯했다.

몇 번이고 입술을 포개고는 잠시 숨을 쉬기 위해 놓아주었다. 서툰 그녀는 그때마다 어깨를 떨며 눈물 맺힌 눈으로 나를 올려다보았다.

그 시선에 독점욕이 끓어올랐다.

눈동자에 비친 당혹감과, 눈물 맺힌 눈으로 노려보는 것조차 사랑스러웠다. 말기였다.

"흑장미, 이건 내가 꾸는 꿈이라고 말했어. 꿈이라면 널 원해도 상관없는 거잖아?"

"꾸, 꿈."

"그래. 이건 꿈이야."

당황하는 흑장미를 눕히고 귓가에 속삭였다. 부디 이대로 타락해줘.

흑장미의 저항이 없어진 것을 기회로 먹색 옷을 풀어 헤치는 것도 애가 타 도망치지 않도록 마구 헤집었다.

먹색 옷은 그녀의 청렴함을 더욱 돋보이게 했고, 드러나는 뽀얀 살결이 머릿속을 달콤한 빛으로 물들였다. 구르듯이 흘러나온 유방의 아름다움과 붉은 젖꼭지의 대비가 눈에 강렬히 새겨졌다.

"흑장미, 엘로즈……."

미의 체현에 군침을 삼켰다. 무서워하지 않도록, 도망치지 않도록 손바닥으로 등과 허리를 어루만지며 떨리는 입술에 입술을 포개고 미끄러져 들어간 혀끝으로 그녀를 복종시켰다.

떨리는 붉은 젖꼭지를 손가락으로 어루만지고 입 안에 머금고 빨아당겼다. 경직된 몸이 풀리도록 허리와 엉덩이를 쓰다듬고 허벅지를 쓸어 올렸다.

아름다운 가슴이 수치심에 붉게 물들고 얇은 부분이 나의 타액으로 젖어 있었다. 두 손으로 가슴을 움켜쥐고 소리를 내며 유두를 빨고 민감한 끝부분을 할짝할짝 핥았다. 볼록하게 솟은 민감한 끝부분을 마음껏 핥고 빨고 깨물었다. 입김을 불어넣고 손가락으로 집어 올리자 엘로즈는 허리를 크게 띄우고 등을 뒤로 젖혔다. 느끼고 있구나 하고 기뻐져서 더욱 유두를 공격하자 새하얀 발끝을 오므려 쾌감을 나타냈다.

유두를 괴롭히면서 유방을 혀끝으로 간질이고 땀으로 반짝이는 가슴골에 키스했다.

때때로 헐떡이는 입술에 입술을 포개고 혀를 감으면 참을 수 없다는 듯이 매달려왔다. 안심시키듯 미소 지은 뒤 그녀의 무릎에 가볍게 키스했다. 쪽, 쪽, 키스를 반복하는 사이 그녀의 굳어 있던 몸이 서서히 풀려갔다.

무릎에 손을 얹고 허벅지 안쪽으로 손가락을 미끄러뜨렸다. 손가락이 도달한 곳은 촉촉히 젖어 물기를 띠고 있었다. 소음순을 손가락으로 살짝 더듬자 엘로즈가 입술을 떨며 신음했다.

손끝으로 몇 번 어루만지자 소리를 내며 액체가 흘러나왔다.

수치심으로 딱딱하게 굳은 그녀의 다리를 벌려 꿀이 떨어지는 화원을 집요히 관찰했다. 붉게 물든 그곳이 미끌거리는 액체를 떨어뜨렸다. 손가락을 넣어 안을 확인하자 손가락 한 개도 버거울 정도였다. 기대감에 꿀꺽 침을 삼켰다.

몇 번 손가락을 넣었다 빼도 헐거워지지 않는, 꿀이 흘러넘치는 그곳에 손가락 대신 혀를 넣었다. 그녀가 엉덩이를 크게 떨더니 그곳으로 혀끝을 단단히 죄었다.

"아, 아아아."

떨어지는 꿀을 혀에 얹고 화원의 끄트머리에서 작게 떨리고 있는 붉은 클리토리스를 혀를 굴려 괴롭혔다. 사랑스러운 소리를 내며 허리를 띄운 그녀를 강하게 누르고, 혀끝으로 소리를 내며 클리토리스를 희롱했다. 혀끝에 힘을 주고 클리토리스를 꾹 누르자 액체가 흘러넘쳤다. 액체를 홀짝이면서 손가락으로 소음순을 벌려 억지로 안으로 밀어 넣었다. 소리를 내며 넣었다 뺐다를 반복하면서 서서히 손가락 수를 늘려 안에서 손가락을 움직였다.

"아아, 아앗."

밀어 넣는 순간 소음순이 손가락을 휘감고 수축했다. 손가락이 닿는 가장 안쪽까지 밀어 넣고 꽉 조인 그곳에서 힘껏 손가락을 뺐다.

반복해서 손가락을 넣었다 빼자 손가락을 품었던 부위에서 넘쳐흐른 액체가 손가락을 타고 떨어졌다. 클리토리스를 핥으면서 손가락을 밀어 넣었다 빼고 다시 밀어 넣었다 뺐다. 클리토리스를 핥으면 핥을수록, 기세를 붙여 밀어 넣으면 밀어 넣을수록 소음순이 다음을 조르며 꿈틀거리고 액체를 떨어뜨렸다.

흰 허벅지는 쾌락으로 떨리고 탐스러운 가슴은 짓궂은 혀끝에 농락당하고 흰 복부는 쾌락으로 일렁였다.

목덜미를 물고 턱을 핥고 유방에 손가락을 파묻고 끝에 붙은 붉은 과실을 깨물고 새하얀 몸을 어루만졌다. 활짝 핀 쾌락의 정원을 혀끝으로 어지럽히고 손가락으로 애원하게 하고 마침내 내 것으로 굴복시키기 위해서.

물기를 띠고 부드러워진 그곳에 계속 비비고 있는 물건의 흥분도 한계를 맞이하고 있었다.

넣고 싶어서 참을 수 없었다.

"흑장미."

"크, 크르트, 님, 아아아앗, 아아아."

흑장미가 이름을 불러준 순간, 잔뜩 흥분한 그것을 삽입했다.

삽입한 순간 조여오는 소음순의 압력에 숨을 삼켰다. 그 움직임만으로 등줄기에 쾌감이 스쳤다. 이를 악물고 충격을 견디며 목을 젖히고 헐떡이는 여자를 끌어안았다.

삽입한 순간의 사정감을 가까스로 참았지만 본능대로 허리를 밀어붙이고 싶어서 견딜 수 없었다. 다정하게 대하고 싶은데, 짐승처럼 흥분하는 자신을 억제할 수가 없었다.

"엘…… 엘로즈."

"아, 아아앗."

천천히 시간을 들여 뺀 뒤 강하게 찔러 넣었다.

흑장미가 한층 크게 애달픈 신음을 흘렸다. 그녀의 내부가 내 것을 조이고 핥았다.

"후, 아, 굉장해. 나에게서 절대로 떨어지지 마……, 아, 여기, 여기지? 여기가 제일 흥분되지? 전에도 그랬어."

내부의 한곳을 찌르는 순간 단단히 오므라드는 그곳의 움직임을 깨닫고 그곳을 몇 번이고 자극했다.

숨을 삼킨 엘로즈의 몸이 움찔움찔 튀었지만 다리를 안아 올리고 질 안을 계속 자극하니 쾌락에 굴복하고 받아들일 수밖에 없었다.

"아아아. 그런 거, 안 돼, 아아아, 안 돼."

"아, 하. 크크읍."

"아아아, 크르, 트, 크르트 님."

요염한 목소리에 이성을 잃고 무릎 뒤쪽을 잡고 허리를 높이 쳐들게 했다. 그 상태로 마음껏 허리를 부딪쳤다. 헐떡이는 엘로즈의 종아리와 발바닥에 입을 맞추면서 조여드는 와중에 마음껏 쾌감을 맛봤다. 발가락을 입에 머금었을 때는 안에서 찢어지는 게 아닐까 싶을 만큼 강하게 조여왔다.

머릿속이 터진 듯한 섬광이 눈 안을 가득 메웠다.

충돌하는 물건에서 시작된 희열이 등뼈를 타고 머릿속까지 곧바로 전해졌다.

첫 번째 때처럼 신경 덩어리가 여자의 몸에 붙들려 지배당하는 것이 아니라, 사랑하는 여자를 쾌감으로 눈물 흘리게 하는 기쁨에 취했다.

"엘로즈, 더. 더, 높은 곳으로 갈 수 있잖아?"

팔을 뻗어 매달리는 힘의 세기에 그녀의 한계를 깨달았다. 허리를 부딪치며, 쾌락으로 흩날리는 눈물에 말할 수 없는 만족감을 얻었다.

그녀는 나의 열기를 느끼고 헐떡이고 하얀 몸을 출렁이며 몸부림치고 몸을 굳히며 절정에 이르렀다. 나는 그녀의 살에 붙잡혀 현혹되고 그럼에도 만족하지 않고 공격했다.

"엘로즈, 매달려. 내 이름을 불러."

"아, 아아앗, 크르, 크르트, 님."

널 안고 있는 걸 실감하고 싶었다. 꿈이라는 것을 알기에 등을 파고드는 손톱의 고통을 원했다.

입 맞추고 핥고 마시고 혀끝으로 엘로즈를 확인했다. 눈물은 짠맛이 났다.

손바닥으로 스치고 어루만져 손가락으로 아름다운 곡선을 더듬고 입술로 확인하고 혀로 다시 맛봤다.

눈물도 땀도 타액도 사랑의 액체도 전부 맛봤다. 안구를 핥았을 때는 역시 싫어했지만 애달게 만들어서 껴안아주었다.

꿈이라도 좋으니 지금 이 순간만은 넌 내 것이다.

"내 것이다. 나만의 것. 누구에게도 넘기지 않아."

"아아아아."

너무 쾌감을 좇은 탓에 경련하는 몸을 엎드리게 하고 허리만 높이 들게 했다.

뒤에서 단숨에 삽입하자 하얀 등이 충격으로 부르르 떨렸다.

두 손으로 출렁거리는 가슴을 주무르면서 등에 키스했다. 강하게 빨아들이자 그녀가 내 것을 꽉 조였다. 그것을 뿌리치듯 힘껏 허리를 뺐다. 자극으로 들썩이는 등에 키스하면서 그녀의 관능을 이끌어내기 위해 허리를 움직였다.

"히야아앗, 아아, 아아아."

분명 내일은 이 꿈조차 잊고 행복한 두 사람을 축복해줘야만 한다. 그러니 꿈속에서 정도는 선을 넘어도 되는 거잖아?

그녀의 욕망을 부추기듯 헐떡이는 만큼 헐떡이게 하는 거다.

뒤를 정복한 다음에는 그녀를 무릎 위에 앉히고 밑에서 격하게 들썩이기 시작했다. 울면서 기뻐하는 목소리에, 약해지는 것을 모르는 짐승처럼 탐하고 말았다.

깨어나면 뿜어낸 것 때문에 큰일이 나 있겠지, 라며 차가워진 자신이 냉정히 분석하는 반면 철저히 안기로 마음먹은 거다.

현자의 흔적이 보이지 않는 만큼, 꿈속에서만이라도 나를 새겨넣고 싶었다.

"……너는 격렬한 걸 좋아했었지? 이렇게 깊은 곳을 찌르면서 민감한 부분을 세게 잡으면, 그래, 그래. 여기도 좋아했었지? 후. 욕심쟁이인 건 여전하군. 찌르면 기뻐서 조여오는 그런 점도 사랑스러워…… 크, 허리가 녹을 것 같아. 엘……엘로즈."

"으읏, 아아아, 아앗."

간드러진 목소리에 등을 떠밀리듯, 더욱 그녀 안으로 파고들었다. 신경 다발을 핥는 듯한 강렬한 쾌감에 지배당했다.

파고든 부분부터 녹아드는 듯했다.

차라리 끝이 오지 않기를 바라면서 나는 사랑스러운 여자를 끌어안았다.

〈악역 영애는 가문의 몰락을 꿈꾼다 2권〉을 구입해주셔 감사합니다.

꼭 하고 싶은 말이 있다며 한 명이 여기에 와 있어서 소개합니다.

"아가씨의 집사 마르크라고 합니다. 여러분도 분명 이번 표지를 보고 두근거리셨을 거라 생각합니다. 작가는 심장을 저격당했다는군요. 이 굉장하고 사랑스러운 아가씨의 모습을 그려주신 분은 1권에서와 마찬가지로 키타자와 쿄 선생님입니다."

손에 든 책 표지를 바라보는 마르크도 눈을 가늘게 뜨고 황홀한 한숨을 토하고 있습니다. 남성진은 최대한 보지 않으려 애를 쓰는 것 같지만요.

"아가씨를 안고 있는 사람이 제가 아닌 것이 분합니다."

말했다! 확실히 말했어!

"……아가씨께서 언뜻 보여주시는 표정까지 잘 파악하셨군요. 다음에는 꼭 실물 크기의 아가씨 1인 초상화를 부탁드리고 싶습니다. 반드시 특별 주문으로."

터무니없는 소리.

"각종 일러스트도 굉장하다고 말할 밖에요. 키타자와 선생님께서는 작가의 의도를 정확히 파악해 그림으로 그려내시는 기적 같은 분이라고 들었습니다만, 확실히 실신을 부르는 그림입니다."

밑그림 단계부터 기절시키는 격조 높은 모에 그림이에요!

"아, 그래요. 작가 담당인 N가와 씨는 전하가 취향인 모양이라 지난 회 때도 진지한 얼굴로 결혼하고 싶다고 하셨다고."

……네, 작가도 처음 밑그림을 본 순간, 실내 롤링 상태였습니다.

"아아, 그러고 보니…… 하마터면 엘프의 동인지가 될 뻔했다고."

마르크의 싸늘한 눈빛이 무서워.

"아, 그래요. 사실은 작가님께 꼭 물어보고 싶은 것이 있어서 여기까지 왔습니다."

아아, 뭔가요.

"……저와 아가씨의 사랑 이야기는 도대체 언제 써주시는 건지요."

메두사나 사신과 눈이 마주치면 이런 느낌일까요.

식은땀과 메마른 웃음밖에 나오지 않습니다.

―그럼 마지막으로 늘 작가가 신세 지고 있는 하비재팬의 N가와 씨.

이번에도 아름다운 그림을 그려주신 키타자와 쿄 선생님.

교열을 맡아주신 굉장한 분, 제본, 유통, 영업 팀 여러분.

그리고 「소설가가 되자」의 분들 덕에 이 책이 나왔습니다.

거듭 감사 말씀을 전합니다. 감사합니다.


사쿠라 사쿠라 사쿠라

# 악역 영애는 가문의 몰락을 꿈꾼다 2

초판 1쇄 발행 2019년 7월 10일

**지은이_** Sakura Sakura Sakura
**일러스트_** KYO KITAZAWA
**옮긴이_** 김보미

**발행인_** 신현호
**편집국장_** 김은주
**편집진행_** 최은진 · 김기준 · 김승신 · 원현선 · 권세라
**편집디자인_** 양우연
**국제업무_** 정아라 · 전은지
**관리 · 영업_** 김민원 · 조인희

**펴낸곳_** (주)디앤씨미디어
**등록_** 2002년 4월 25일 제20-260호
**주소_** 서울시 구로구 디지털로 26길 111 JnK디지털타워 503호
**전화_** 02-333-2513(대표)
**팩시밀리_** 02-333-2514
**이메일_** lnovelpiya@naver.com
**ㄴ노벨 공식 카페_** http://cafe.naver.com/lnovel11

An evil princess bring her parent's home to ruin. 2
ⓒ Sakura Sakura Sakura
Illustration KYO KITAZAWA
Originally published in Japan in 2019 by HOBBY JAPAN Co., Ltd.

ISBN 979-11-278-5136-1 04830
ISBN 979-11-278-5134-7 (세트)

**값 9,000원**

# 아라포 현자의 이세계 생활 일기 1~5권

코토부키 야스키요 지음 | JohnDee 일러스트 | 김장준 옮김

정리해고 당한 후, 매일 밭을 돌보며 『제로스 멀린』으로서
게임에 빠져 살던 백수 아저씨, 오사코 사토시(40세).
오리지널 마법을 만들어 명실상부 톱 플레이어가 된 그는
최종 보스를 무난하게 공략하지만
로그인 중 발생한 어떤 사고로 생을 마감한다.
그는 홀로 죽었다고 생각했지만,
정신을 차리고 보니 거대한 산림 지대의 한가운데에 서 있었다.
이세계 여신의 말에 따르면 그는 게임 속 능력을 이어받아 전생했다고 한다.
대산림 지대에서 서바이벌을 거치고 전(前) 공작 노인과 만난 제로스는
현자로서 능력을 인정받아 마법을 쓰지 못하는 소녀의
가정교사 일을 의뢰받는데—?!
"나는 평온한 일상이 인생의 모토인데……."

## 마흔 살 현자의 이세계 생활 일기 개시!

라이트노벨의 새로운 빛! L노벨의 신간은 매월 10일에 발매됩니다. http://cafe.naver.com/lnovel11

©Mirito Amasaki, Fly 2018
KADOKAWA CORPORATION

# 너를 잊는 법을 가르쳐 줘 1권

아마사키 미리토 지음 | 플라이 일러스트 | 이진주 옮김

"남은 수명은 앞으로 반 년―. 나는 이대로 죽을 생각이었다."
대학을 중퇴하고 백수가 되어,'살 가치가 없다고 느끼던 마츠모토 슈는
오랜 친구인 토미 씨의 권유로 모교인 중학교를 방문한다.
그곳에는 연예인이 된 운명의 소꿉친구, 키리야마 사야네가 있었는데…….
이 만남이 또다시 슈의 운명을 움직이게 한다.
『천재이기에 고독한 히로인과 범재이기에 고뇌하는 주인공.
두 사람의 엇갈림과 에두른 청춘에 끌려 들어갔습니다.』
『도망치고 도망치고 계속 도망쳐 온 쓰레기에게 남은 단 하나의 약속.
가슴이 뜨거워졌습니다.』
발매 전부터 수많은 감동사연이 올라온 작품.

**잡지 못했던 기회, 한 차례 뭔가를 포기해버렸던 사람들에게 보내는
어른들의 청춘스토리.**

© Nagi Kujo, Mika Pikazo 2018
KADOKAWA CORPORATION

# 돈은 패자를 돌고 도는 것 1권

쿠조 나기 지음 | Mika Pikazo 일러스트 | 김성래 옮김

금액에 따라 초상 현상마저도 사들일 수 있는 악마의 돈 《마석 통화》.
그 쟁탈전, 『거래』에 여념이 없는 고등학생인 우시나이 하이토는
"마스터가 정말 원한다면 야한 행위도 받아들이겠어요······."
전리품으로 손에 넣은 『자산』 소녀, 멜리아의 소유자가 된다.
금전 지상주의 하이토는 자신에게 허물없이 구는 멜리아를 매각하려고 들거나
목숨을 건 『거래』에 이용하는 등 무도한 대우로 일관했다만······.
멜리아가 지니고 있는 비밀이 폭로되어 세계의 표적이 됐을 때
"사들이겠어. 영원토록, 감히 멜리아를 빼앗으려고 들지 못할 공포를."
패배를 숙명으로 짊어져야 했던 소년이 선택한 것은 세계의 적이 되는 길이었다.

**제30회 판타지아 대상 〈대상〉 수상의 새로운 왕도 머니 배틀!**

라이트노벨의 새로운 빛! L노벨의 신간은 매월 10일에 발매됩니다. http://cafe.naver.com/lnovel11

Copyright © 2018 Noritake Tao
Illustrations copyright © 2018 ReDrop
SB Creative Corp.

# 중고라도 사랑이 하고 싶어! 1~12권

타오 노리타케 지음 | ReDrop 일러스트 | 이진주 옮김

"웃기지 마! 이 비처녀가!" 고등학생 아라미야 세이이치는
교내에서 제일가는 불량 학생 아야메 코토코의 말썽에 휘말린 사건을 계기로
아야메 코토코가 끈덕지게 따라다니는 상황에 처하게 되고, 심지어 고백까지 받는다.
그러나 세이이치는 신념에 따라 그것을 거절한다.
"야겜의 히로인 말고는 흥미 없어." 미인이지만 중고라는 소문이 도는
코토코는 아예 논외였다. 그것으로 포기하리라고 생각했건만⋯⋯.
"반드시 네 이상이 돼주겠어."
그렇게 선언한 코토코는 게임의 히로인과 같은 트윈테일 미소녀로 변신!
이건 대체 무슨 야겜? 인가 싶을 만큼 억지스러운 방법으로 세이이치에게 접근한다!!
불량소녀와 오타쿠.
얽힐 일이 없을 터였던 두 사람의 이야기는 어디로 향할 것인가?!

『소설가가 제가 된,
「사실은 일편단심 순정 소녀」계 러브코미디!!

라이트노벨의 새로운 빛! L노벨의 신간은 매월 10일에 발매됩니다. http://cafe.naver.com/lnovel11

© Kigatsukeba Kedama, kani_biimu 2018
KADOKAWA CORPORATION

## 프리 라이프 이세계 해결사 분투기 1~3권

키가츠케바 케다마 지음 | 카니빔 일러스트 | 이경인 옮김

이세계 생활 3년째인 사야마 타카히로는
해결사 사무소《프리 라이프》의 빈둥빈둥 점주.
하지만 사실은, 신조차도 쓰러뜨릴 수 있는
세계 최강 레벨의 실력자였다!
게으름뱅이지만 곤란한 사람을 내버려 둘 수 없는 타카히로는
못된 권력자를 혼내주거나,
전설급 몬스터에게서 도시를 구하는 등 대활약.
사실은 눈에 띄고 싶지 않은데
개성적인 여자아이들에게도 차례차례 흥미를 끌게 되고?!

**대폭 가필 & 새 이야기 추가로 따끈따끈 지수 120%!
이세계 슬로우 라이프의 금자탑이 문고화!!**

## 저 어리석은 자에게도 각광을! 1~4권

히루쿠마 지음 | 유우키 하구레 일러스트 | 이승원 옮김

「돈도 없고, 여자도 없어!」
풋내기 모험가의 마을 액셀의 (자칭) 지배자인
양아치 모험가 더스트는 주머니 사정이 신통찮았다.
신참 모험가 카즈마 일행이 착착 명성을 쌓아가는 가운데―
더스트는 자작극 사기에 도난품 매매,
귀족 영애를 뜯어먹으려고 획책하는 등,
오늘도 액셀 마을에서 돈벌이에 힘썼다!
그런 와중에 나리라 부르며 따르는 대악마 바닐에게서
「재미있는 미래가 찾아올 것이다」라는 불길한 예언을 듣는데?!

**더스트 시점에서 그려지는 조금 음란한 외전이 새롭게 시작!**